池上彰の
未来を拓く君たちへ

池上 彰

日経ビジネス人文庫

はじめに

平成から令和に元号が変わりました。元号が変わると、「ひとつの時代が終わった」と感じるのは、日本独特の感覚です。

世界は元号に関係なく大変動が続いています。とりわけアメリカのドナルド・トランプ大統領の予測不能な言動は世界の不安定要因になっています。鉄鋼やアルミに関税をかけたり、中国を狙い撃ちにした関税をかけたりなど、まるで世界に喧嘩を吹っかけているようです。

当初は日本政府の中に「良好な関係の同盟国・日本に対しては関税をかけないだろう」という楽観的なムードが漂っていましたが、そんな常識は通用しませんでした。

ここで私は、大学に入った直後に読んだアダム・スミスの『国富論』を思い出します。アダム・スミスは、この本の中で重商主義を批判しました。

重商主義とは、関税などで輸入を抑え、輸出を拡大させることで一国の富を蓄積できるという考え方です。スミスは、このような方法では人々は豊かになれない、貿易が盛んになることによって輸入品が増え、人々がこれを消費することで豊かになると指摘しました。

スミスが18世紀に説いた理論は経済学の常識となり、世界の主要国の政治家にとっても自明の理となっていました。

その常識をわきまえないアメリカの大統領の存在は想像を絶します。この人は学生時代何を学んだのでしょうか。それとも本人はわかっていて、大衆迎合の一環としてやっているだけなのでしょうか。にわかには区別がつきません。

東京工業大学の大岡山キャンパスを拠点にして、日本や世界の情勢を見たり聞いたりして考えたことを、日本経済新聞朝刊の「池上彰の大岡山通信　若者たちへ」と題したコラムに連載してきました。本書は、この連載をまとめて加筆したものです。連載は高校生や大学生、専門学校生を対象としてイメージしてきましたが、実際には多くの社会人に読まれています。「日経のコラム読んでいます」と声をかけられることも多くなりました。

私が所属するのは東工大のリベラルアーツ研究教育院。理系の学生たちにリベラルアーツの大切さを伝え、自立した人間に成長してほしいという願いから誕生しました。ここでは「教養とは何か」を考えるのですが、アメリカに大変わかりやすい反面教師が誕生しました。

トランプ大統領はツイッターで部下の更迭を公表することもよくあります。自分に仕えてくれた人を解雇しなければならないとき、指導者あるいは経営者は、相手に向かい合って真摯にねぎらわねばなりません。これが上に立つ者の倫理です。トランプ大統領の言動は、倫理面での反面教師にもなってくれます。

こうしたニュースを私たちは海の向こうでの出来事と思っていますが、形を変えたり規模を小さくしたりして、私たちの身の回りにも存在しているのではないか。ときにはそう考えて自戒する必要があると考えています。今後もそんなことを若者たちと語り合っていければいいなと思っています。

コラム連載にあたっては、日本経済新聞の倉品武文さんにお世話になりました。

コラムで取り上げるテーマについても、適切なアドバイスをいただきました。
このような本の形にするにあたっては、日本経済新聞出版社の編集者・武安美雪さんに、文庫化にあたっては桜井保幸さんに御世話になりました。

２０２０年１月

ジャーナリスト・東京工業大学特命教授　池上 彰

池上彰の未来を拓く君たちへ

目次

Contents

第2部 明日を見極める――正しい情報を知り、考え、判断する

第3部

世界を読む――未来を見通す力を養う

第4部 日本を知る――直面する課題と向き合う

第1部 今日を生き抜く——働くこと、学ぶこと、生きること

「私たちはどう生きればよいのか」。

それは時代が移り変わっても、年齢を重ねても、終わることのない永遠のテーマなのです。

人生の次の一歩を踏み出すために悩むことは決して弱いからではありません。

さあ、一緒に考えてみましょう。

高校生たちと対話する筆者
（2017年11月8日、東京都小金井市）
＝ICU高校提供

第1部 CHAPTER 1

新たな一歩を踏み出す君へ

3月下旬、東京工業大学の大岡山キャンパスの桜も見頃を迎え、学位授与式つまり卒業式が行われました。働き始める若者、研究の道を志す若者、それぞれ新たな1年がスタートしたのです。読者の皆さんも、この春から、それぞれ新しい人生の門出を迎える人も多いことでしょう。そこで、そんな若者たちへ先輩から一言。

4畳半の下宿先で過ごした新人時代

私が大学を出たのは、1973年のこと。NHKに記者として採用され、初任地は島根県松江市の松江放送局でした。松江市内の住宅の2階4畳半に下宿しました。いまならマンション住まいが当然でしょうが、古い城下町には、当時マンションと呼べるものが見当たりませんでした。

放送局での仕事が一段落して夜の8時ごろにNHKを出ると、外は真っ暗。酔客を乗せたタクシーが通るだけで町は静まりかえっていました。その時間に開いている喫茶店がないということを知ったときの驚き。探し回った揚げ句、市の中心部からはずれた場所に夜10時まで営業しているジャズ喫茶を見つけたときの喜び。きのうのことのように思い出します。

記者の仕事は帰りが遅くなります。大家さんはすでに寝ていますから、玄関をそっと開け、忍び足で階段を上ります。

4畳半に入ると、松江駅の方から蒸気機関車の汽笛が聞こえてきます。住宅街だというのに牛蛙の鳴き声が響きます。都会暮らしから離れ、知人友人もいない土地での一人暮らし。心細い思いだったのは当然のことでした。

慣れない仕事で疲れがたまり、休日は昼過ぎまで寝ていました。とにかく疲れる毎日です。

警察署の玄関を入れなくなった

初任地での仕事は、警察と検察、裁判所担当です。毎朝、松江警察署と島根県警察本部の中を回るのですが、これのつらいこと。ベテラン刑事たちは、新米記者など歯牙にもかけません。「おはようございます！」と元気よく声をかけても、ギロリと睨むだけ。身が縮む思いでした。

そのうちに警察署の玄関を入ることができなくなりました。中に入るのが怖いのです。まあ、当たり前ですね。大学出たての新人が、警察署の中を闊歩できるわけはありません。でも、これをしないと記者の仕事にならない。歯を食いしばって署内に入っていきました。

でも、人間いつしか慣れるもの。毎朝元気よく声をかけていれば、そのうちに「おお！」と返事をしてくれる刑事も現れます。

一人ひとりの刑事と仲良くなるにはどうしたらいいか。先輩のアドバイスに従い、夜の当直勤務の刑事のところに顔を出すようにしました。松江の夜は、大都会と違って警察の出番は多くありません。刑事たちが暇を持て余している時を狙って顔を出せば、雑談相手にもなってくれます。こうして知り合いを増やしていきました。

筆者（右奥）はいまも、社会に出た東工大の教え子らと自主的な読書会を開いて議論を重ねている（2017年9月、都内）＝東工大提供

この仕事は、自動車のセールスマンと似ている。数カ月して、そのことに気づきます。セールスマンは自動車を売るのが仕事ですが、そのためには、まず自分を相手に売り込み、信用を勝ち取らねばなりません。

セールスマンの体験に学んだ

記者も情報を取るには、相手の信用が不可欠です。たくさんの車を売ったカリスマセールスマンの体験記を読んで勉強しました。

異業種のことを知ると、自分の仕事にも役立つのだということを、このとき知ります。それからは、あらゆるジャンルの本を乱読です。

松本清張の推理小説を愛読するようになったのも、このころからでした。「官僚の汚職事件がどういうものか、松本清張の小説で勉強しろ」と先輩記者からアドバイスを受けたのがきっかけでした。社会派ミステリーが多く、世の中への視野も広がります。

そのうちに経済学の勉強も再開しました。大学時代にしっかり勉強していなかったことへの反省からです。

結局、新人時代の仕事の困難さを突破できたのは、豊富な読書量に裏付けられた知識でした。

なので、新人諸君。仕事がつらくなったら、読書に逃げ込むという手があります。そこで得た知識や教養が、やがて仕事でも生きてくるのです。

第1部 CHAPTER 2

働くこと、生きること

──私も悩んできた

大学生たちと「働くこと、生きること」をテーマに議論するイベントに参加しました。そこで東京工業大学の同僚でコメンテーターとしても活躍しているタレントのパックン（パトリック・ハーラン氏）との対談の一部を紹介しましょう。私も悩み、壁にぶつかり、働いてきました。これから社会へ出る若者たちへのヒントになればと思います。

パックン 大学を出てNHKで働き始め、働くことについてイメージや考え方は変わりましたか。

池上 卒業したら、とにかく働いて食べていかなければならないと考えていました。元は小学校のころに読書で知った「新聞記者」にあこがれたことがきっかけでした。当時、NHKと全国紙の入社試験日が同じでしたから、どこか1社を選ばざるを得なかったのです。

最初の赴任地である島根県の松江放送局で、警察を担当しました。朝も夜も警察や検察関係者を尋ね歩くのですが、会話にもならない。ろくに原稿も書けず、給料に見合う仕事ができていなかったですね。確か当時の初任給は月6万8000円だったと記憶しています。

「俺は一体何やっているのだ」という気持ちになったものです。でも、そこで負けずに、一人前の記者になるためにどうしたらいいのかと悩み続けていたのです。その積み重ねで記者の基礎を築いていくことができたように思います。

人見知りの私を救った雑談力

パックン　その「基礎を築く」ための努力が、いまの池上さんを支えていると思いますか。

池上　その通りですね。警察署の前で、最初は足がすくんで建物の中に入れなかった。そんなころ、先輩からよく「雑談をしろ」といわれました。ところが、松江の警察官がどんな趣味を持ち、どんな話題に興味があるのか、わかるわけがないですね。「何を雑談すれば」と悩んだもので

「働くこと、生きること」をテーマに体験を語る筆者（右）とパトリック・ハーラン氏（2017年11月20日、東京都千代田区の日経ホール）

す。

実は、私は「人見知り」でした。内気で、見ず知らずの人となんか話ができなかった。「おはようございます」と言ったところで、「じろり」と見返されて、それっきり。

でも、話題を探そうと、警察署に通い続け、署内の雰囲気や人の動きを眺めるうちに、だんだん、気づくことが増えてくる。そうして声をかけるきっかけがつかめるようになり、雑談の仕方を身につけたように思います。とにかく必死でしたね。

パックン 池上さんはいま、取材や執筆、テレビ番組、大学教授などたくさんの仕事に取り組んでいる。何がそのモチベーションなのでしょうか。

池上 記者になった当初は、「知りたい」「伝えたい」という思いに支えられていました。そのうち「これはおかしい」とか「これは許せない」とかいうことがわかってくると、「それを伝えることが社会を変えるきっかけになるのではないか」という使命感が湧いてきたのです。

一番大きく考え方が変わったのが、60歳の還暦を迎えたとき。ここまで生きることができたのは、両親が私を育て、大学まで出してくれたからですが、社会が育ててくれたともいえるでしょう。それなら、次はその社会のために何かに取り組んでみようという気持ちになったのです。

そんなことを考えていたころ、東工大の先生方から「学生に教えてくれませんか」というお誘いを受け、「蓄積してきた知識や経験を若い人に伝えていければ」と考えたのです。

専門外の体験も大事にしてほしい

パックン 世の中には仕事に満足できない、なぜ働かなきゃいけないのかと感じている人もいます。

池上 仕事がつらいとか、面白くないとか、そのときの仕事の状況によっても違うと思います。入社したてのころは、専門の仕事とは全く異なる体験をすることもあるかもしれませんね。でも、それが大事な時間です。

私はＮＨＫの研修で受信料の徴収業務を体験しました。受信料を払ってくれる人たちがいるおかげで、取材し、番組をつくり、自分たちは給料も得られるのだということを体験するのですね。

ある出版社に入社した知り合いは、新人時代、出版社の倉庫で在庫整理を体験したそうです。編集者として、いろんな本を企画、出版したいと入社したのですが、売れない本が大量に返品されて、収拾がつかなくなることを理屈では

「基礎を築くこと」の大切さについて対談する筆者（右）とパトリック・ハーラン氏（2017年11月20日、東京都千代田区の日経ホール）

なく、身をもって知ったのです。その後、彼は優秀な編集者となり、会社の取締役になりました。

日本の会社には新入社員に様々な経験をさせ、適性を見極めようという考え方があります。新人時代に「なぜこんな仕事をするのだろう。このために入社したわけではないのに」と思うかもしれない。でも、そうした経験によって、会社全体の業務がわかるようになるでしょうし、自分に足りない知識や技能を身につけるきっかけになるはずです。

初心を忘れず、人生の基礎を築いて

パックン　池上さんは、働きながらやりたいことを実現している。この理想形をつかむ方法をひとつ教えてください。

池上　心理学に「承認欲求」という言葉があります。これは「誰かに認めてもらいたい」という人間本来の欲求のこと。人はみな、お金のためだけに行動するわけではない側面もあるのです。

初心を忘れず、本業の仕事を頑張り続けたことによって、いまの自分につながる基礎を築けたのかなと思います。働き始めて取材力を身につけ、人脈をつくってきた。将来、大学教授になるなんて想像もしていなかったですね。

一生懸命、仕事に取り組むことで、将来、別の道が開けてくる可能性もある。逆に「つまらないな」といって手を抜いていたら、決して自分の力はつかないのではないかと思います。

実は、NHKを受ける前、某テレビ局に願書を出そうとしたら、社員の推薦、いわゆるコネがなければダメといわれて門前払いされたのです。でも、そのおかげでNHKに入ることができ、いまの自分を築くことができたわけです。人生は全くわかりません。

パックン 池上さんの自らの経験や働くことへの考えを聞きました。下積み時代に努力し、苦労したからこそ、いまを築くことができた。それはとても説得力がありました。私も大切にしていきたいと思います。

この「働くこと」についで考えるイベントでは、大学生たちと対話する場面もありました。これから働き始める学生たちはどんなふうに考え、悩んでいるのか。「働く」というキーワードに、どんなイメージを抱いているのか伝わってきました。

人々を満足させられるかも大きなポイントに

学生A　働くこととはお金を稼ぐことです。収入を得れば個人の生活を充実させられるでしょうし、自らの仕事の成果に対する評価の目安になるのではないかと思います。

池上　確かにその通りですね。ただ、給料が上がり続けても、それに比例して満足度が高くなるわけではないでしょう。まさに経済学でいう「収穫逓減の法則」に似た現象です。高額になればなるほど、増える満足度は小さくなってくるというものです。

給料が上がることは評価の証しではあるけれども、給料では反映しきれない満足度はなんだろうかと考えるようになるわけです。働いて提供する商品やサービスが、人々を満足させられるかどうかも、大きなポイントなのだと思います。

学生B 働いて得るお金も大事だけれど、働くことで社会とのつながりを持つという大切な面があると思います。工場で何かをつくって市場に送り出したり、ウェブで作業をして人に情報を与えたりす

学生たちと対話する筆者（右から2人目）とパトリック・ハーラン氏（同3人目）
（2017年11月20日、東京都千代田区の日経ホール）

るなど、社会とのつながりを生むのです。

池上 給料を得ることは、あなたがつくった商品を消費者が買って、喜んでくれたということですね。つくったものが売れなければ、企業はつぶれてしまうかもしれないのです。ただ、職を失うということは、資本主義社会では労働力の需要と供給が折り合わない雇用のミスマッチから生まれる構造的な問題といっていいでしょう。避けられない課題なのです。

学生C 働くことを通じて、自分の専門性を究めることだと思います。ある専門分野に研究を絞れば、第一人者になれるかもしれない。

池上 自動車のトップセールスマンになる人がいますが、これもその分野の営業のノウハウに優れた専門性があるからだと思います。大学で専門性を究める道を歩んでいても、その世界だけが特別な専門の分野だとは思わないでください。

学生D　責任を持つことです。インターン（就業体験）などで感じたことは、企業で与えられる責任の範囲が大きく、学生生活とは比べものにならないということでした。

プロ意識を持って働こう

池上　社会に出て、働いて給料を得るということは、「プロ」であることを意味しているわけですね。どこの世界でもアマチュアはお金をもらえないのです。つまり、プロ意識を持ってほしいのです。

いまでも覚えています。NHKで初めてキャスターになって番組に出る前、緊張のあまり足が震えましたね。自分の名前ですら、原稿に書いたものです。番組が始まるときの音楽が流れているのに、スタジオにたどり着いていないという悪夢を何度も見ましたよ。

学生E　自分が何者かを明確にするため。就職活動を始める前に、自分の働き方を突き詰めること、社会の一員としてどう貢献するのかということを考えました。

学生F　働き始めれば大きな責任が出てくる。学生のときは自分のための勉強であり、成績だけでしたが、社会に出れば世の中や他の人々との関係が生まれる。そこが大きな違いだと思います。

「理想の社会」と「自分が果たす役割」を考える

池上　働き始めれば、会社の中と外の世界という新たなつながりができてきます。会社という組織の中で、新しい結びつきもできてくるのです。責任が生まれる中で、その責任感がつらいことにもなるでしょうし、生きがいになることもあるのですよ。

学生G　自分の理想をかたちにしていくことだと思います。池上さんは「伝えることとは使命感」という話をされましたが、人々に大切な情報が行き渡るという理想の社会の実現に取り組んでいる。

池上 とても大事なことを提起してくれたと思います。社会で働いていくときに、「理想の社会」ってどういうものなのかとイメージすることは大切なことだと思います。社会の問題点、ひずみ、ゆがみがあるわけですね。その中で、「自分が果たす役割はあるのだろうか」と自問自答することが大事なのです。もちろん、理想がそう簡単に実現するわけではないけれど、その理想に向けて動き出すこと、進み始めることが大切なのです。

「働くこと」をテーマに、学生の質問に答える筆者（2017年11月20日、東京都千代田区の日経ホール）

学生H 成果物が社会的に評価され、金銭をもらうことができれば、それが働くということだと思います。自分がつくり出した製品、サービスで、社会の人々から感謝されたら、ある程度の評価を得られたと考えます。

池上 学生たちがそれぞれに「働くということについて」思い描くキーワードを説明してくれました。どれが正解ということではありません。皆さんが別々の角度から見て、考えてくれたものだと思います。そうした視点のすべてが、まさに「働く」ことにつながっているのです。

すでに働いている若者たち、これから社会に出る若者たちも、働くこと、生きることに迷ったら、ぜひ「初心」を思い出してほしいと思います。

第1部 CHAPTER 3

名刺で仕事をするな

――人生にムダな時間はない

キャンパスやオフィス街でリクルートスーツに身を包んだ学生たちをみかけるとき、ふと私自身の体験を思い出します。私の新人記者時代のエピソードをもとに、これから社会へ出る若者たち、働き始めたばかりの若者へアドバイスを贈ります。

個人としての実力が認められてこそ

私は1973年、NHKに報道記者として入りました。初任地の島根県松江放送局から広島県の呉通信部を経て、東京の社会部へ移りました。その後、2005年に退職するまでの11年間は、「週刊こどもニュース」という番組づくりにも携わってきました。NHK勤務時代は報道の現場を歩いてきたのです。

新人時代、先輩からよくいわれた言葉がありました。それは「名刺で仕事をするな」というアドバイスでした。つまり「人は名刺に刷られた会社名、肩書を見ている」ものだが、「個人としての実力が認められ、重要人物に会える記者になれ」といわれたものです。

たとえば、初めて訪れる取材先は「NHKの池上」に会うのであって、「池上」という個人に会いたいわけではない。「NHK」という看板があるからこそ、県知事だって、警察幹部だって時間を割いてくれる。しかし、何度も会える関係を築くには、記者個人の力量を磨かなければならない、と。

「記者の実力ってなんだろう」。あれこれと考えてみました。もちろん、ライバルの民放各社や新聞各社に先んじて、特ダネを報じることは記者として大切な実力でしょう。

その前提として、もっと重要なことは、現場経験を積み、専門知識を蓄え、その道の専門家と議論できるくらいに問題に精通することではないかと考えるようになったのです。それは、取材先と真剣に向き合う姿勢。人間力といえるでしょうか。取材先に「こいつのいうことなら聞いてやろう」と思わせることなのですね。後からわかることですが、これは新人時代に限ったことではありません。

現場の経験を積み、人間力を磨こう

これから様々な業界へ就職するあなたと、私が働いてきた報道の世界は違うかもしれません。しかし、組織や社会というのは、そもそも人と人とのつながりによって成り立っているもの。自分を認めてもらう上で、そんなに大きな差などないはずです。

働く世界は異なっても、仕事で自身の実力を磨き、一目置いてもらえる関係になること。それがなければ信用を勝ち取ることなどできないでしょう。ぜひ、現場の経験を積み、人間力を磨いてほしいと思います。

そのために役立つことは、教養を身につけ、好奇心を忘れずにいることです。常に新しい情報や知識を蓄えていれば、仕事相手との話題も広がり、君自身の人柄や仕事に対する姿勢を伝えるチャンスが生まれるでしょう。いわゆる「学び続ける力」の大切さです。

人間関係の「間合い」に気をつける

記者時代に学んだキーワードをもう一つ披露しましょう。それは「密着すれども癒着せず」という言葉です。どんなに親しく、気心の知れた間柄になっても、仕事の取引相手とは適切な関係を築いてほしいのです。

この人間関係の「間合い」というのは、非常に難しいポイントだと思います。これから始まる長い社会人生活の大事な視点です。

というのも、企業や個人に「コンプライアンス（法令順守）」の姿勢が厳しく問われる時代になってきたからです。

このキーワードに含まれるテーマは、仕事の上でのお金の使い方、パワーハラスメントやセクハラといった人間関係、顧客など個人情報の管理、インサイダー取引に関するルールなど多岐にわたります。

入社後の新人研修でも「コンプライアンス」は必ずテーマになるでしょう。社会人になればプライベートな時間であっても、あなたの行動や発言に対する責任が厳しく問われます。学生時代とは責任の重さが全く異なるということに驚くことでしょう。

「隙間」の時間活用に気づく

私はNHKでの記者時代、一日の生活を眺めてみると、記者会見を待つ合間や警察関係者の帰宅を待っている間など、意外に自由に使える「隙間」の時間があることに気づくようになりました。

NHK松江放送局で、報道記者として新人時代をスタートした筆者。23歳＝著者提供

そんなとき、暇つぶしを兼ねて心がけていたのが読書や英会話の学習です。といっても、ポケットにも入るような文庫本や新書、英会話のテキストを選んでいたように覚えています。厚みがない方が持ち運びにも便利ですし、読み切るのにそれほど時間もかかりませんからね。

それぞれの隙間の時間自体は短いのですが、積み重ねれば日に1～2時間を確保することもできました。おかげで忙しい生活の気分転換になりましたし、貴重な情報収集や英会話の基礎を学ぶ時間にも使えました。いま、海外取材で英語を使ってコミュニケーションできるのも、社会人になってからコツコツと学び直していたことが生きています。

そこであなたに伝えたいことは、「人生にムダな時間などありません」というアドバイスです。それぞれ働く世界は違っても、1日24時間という条件の下で生きているのは皆同じでしょう。

朝晩の通勤時の車内で読書をしたり、英会話を学んだりするのもいいでしょう。近所のスーパーの売り場や百貨店など店頭の売れ筋商品にビジネスのヒントがあるかもしれません。出張で初めて訪れた町の風景から景況感をウォッチできるかもしれませんね。

一日のうちで何気なく過ごしてしまいそうな時間や、見慣れた風景の中にも、新たな発見や気づきがあるはずです。一日の小さな隙間時間も、積もり積もれば大きな時間になりますからね。決して侮ってはいけません。

常にアンテナを張り、感度を高めよう

その際、あなたに大切にしてほしいことは、常にアンテナを張り、感度を高めていく工夫です。得意不得意ではなく、関心のあるテーマを広げ、引き出しを増やしていくことです。仕事に直接つながるテーマでもよいのです。漫然とスマートフォンの画面を眺めているなんて、時間がもったいないじゃないですか。

最近、新聞やテレビのニュースを見ていると、「働き方改革」というキーワードに

接することが多くなったと思いませんか。もちろん、長い人生のうち、がむしゃらに働き続けることも大事な経験です。その一方で、働き方を工夫して時間の余裕をつくり、スキルや教養を磨く時間にあてることも仕事に大いに役立つことでしょう。

私たちが働き始めた時代に比べれば、自己投資は現代の若手ビジネスパーソンの方が積極的だと思います。あなたの就職先でも、社員の長時間労働を見直し、「働き方改革」に率先して取り組んでいる会社も多いはず。

りそなホールディングスの内定式に出席した学生ら（2017年10月1日、東京都港区）＝共同通信社

いまや「人生100年時代」といわれます。これからの長い人生では、答えのない悩みに出くわすこともあるでしょう。自ら答えを考え抜き、ときには真摯にアドバイスにも耳を傾けながら、道を切り開くことが大切です。

くじけそうになったら、「初心」を思い起こしてください。ときには自ら歩みを止め、進路を選び直す勇気が求められるかもしれませんね。仮に道を変えることがあっても、決して弱気になる必要はありません。前に進んでいるのです。自分自身の人生だからこそ、自ら次の一歩を選んでほしいのです。

あなたの健闘を祈ります。

第1部 CHAPTER 4

学びがかなえる将来の夢

――高校生との対話

国際基督教大学（ICU）高等学校に通う高校生から依頼の手紙が届きました。「高校生の学び、教養について一緒に考えてほしい」という内容でした。そこで「未来を創（つく）るために今から学ぶ教養」と題して講演をしました。同校での生徒たちとの対話の一部をご紹介します。

子どものころに描いた、たくさんの夢

私が高校や大学に通っていたころ「死ぬまでに一度は海外へ」という夢がありました。当時は1ドル＝360円。外貨の持ち出し制限もありました。多くの日本人にとって、海外旅行は夢のまた夢だったのです。

ジャーナリストになり、気がついたら世界85の国・地域を取材してきました。海外取材に英語は必須です。留学や海外勤務の経験はありませんが、NHK記者時代から、NHKの英会話テキストを少しずつ読み続けてきた結果、なんとかなっています。

そんな私が小学生のころにあこがれていた職業は「新聞記者」でした。事件や事故に関するニュースを報じたり、殺人犯に警察より先に接触して自首を勧めたりという地方記者の仕事ぶりのドキュメントを読んでワクワクしたからです。

中学生になると、将来の夢は「気象予報官」に変わります。いまでは「気象予報士」という国家資格ができましたが、当時、天気の予報ができるのは気象庁の予報

官だけだったのです。子どものころというのは実にたくさんの夢があるものです。

夢のために苦手科目を克服

ところが、高校生になって大きな壁にぶち当たります。高校で数学が苦手になってしまったからです。気象庁の予報官になるには数学や物理など理数系科目に強くなくてはならないのです。

なぜか。大気の動きを分析するには物理学の知識が必要だということを知ったのは、ＮＨＫの社会部記者となって気象庁を担当してからのことでした。

一方、高校の政治経済の授業で経済の仕組みを学び、とても興味が湧きました。日本は１９６４年開催の東京五輪を経て、高度成長の道をひた走っていたころです。格差が拡大し、「成長の歪み」という言葉も出ていました。

「豊かさとは何だろう」。そんな疑問への答えを見つけ出すため経済学部を選びました。志望大学の受験科目には数学がありましたが、入るために猛勉強。なんとか克服したのです。

社会に出てからの意外な発見

高校で受験勉強に追われていた当時、「こんな勉強をしていて将来、一体、何の役に立つのだろう」と感じていたことを覚えています。ところが不思議なものですね。社会に出てから、意外な発見が何度かありました。

たとえばＮＨＫ記者時代、気象庁で地震の原稿を書くとき、マグニチュードが１大きくなると地震のエネルギーは32倍になることを知りました。この変化の仕組みは、数学の「対数」に基づいています。基礎的な事柄を理解していれば、分析の仕組みもわかります。高校時代、「対数なんて何の役に立つのか」と思っていたのですが。

その後、「因数分解」の勉強が役立っていることにも気づきます。２００５年にＮＨＫを辞めてフリーのジャーナリストになってからのこと。テレビ番組づくりに関わりながら、定期的に新聞コラムを何本も書くようにもなりました。その際、複雑な情報を整理するには「共通項を見つけて括り出す」という因数分解の考え方が役に立ったのです。

高校生のころ、苦手で楽しくはなかった科目でも、定期試験や受験のために必死に学びました。覚えた知識が後の人生で役に立つのかわかりませんでしたが、のちに花開いたのです。

そんな私が東京工業大学教授になったのは、2011年3月の東日本大震災がきっかけです。原子力発電所の事故を解説する専門家の言葉がわかりにくく、理系と文系の間を橋渡しするお手伝いができればと考えたからです。

東工大の先生方と米MIT（マサチューセッツ工科大学）を視察して驚い

「未来を創るために今から学ぶ教養」をテーマに、ICU高校の生徒たちと対話した（2017年11月8日、東京都小金井市）＝ICU高校提供

たことがあります。「先端的知識は、4～5年後には陳腐化してしまう」。だからこそ「考え抜く力、答えを見つけ出す力を養うことが大切だ」と指摘されたのです。

まさに「すぐに役に立つことは、すぐに役に立たなくなる」のです。一見すると「すぐに役に立たないこと」が、いずれ「役に立つ」のです。

「こんなものが何の役に立つのか」という疑問を持ち続けていると、やがて自ら答えに到達します。

ICU高校での生徒たちとの対話では、若者たちの悩みや疑問も寄せられました。そこで私自身の経験や取材をもとにお話ししました。あなたも高校で学んでいたころを思い出すかもしれません。

人間関係も心を豊かにする経験に

生徒A 高校生が教養を身につけるのは難しいと思います。授業や受験勉強に追われ、部活動もある。忙しくて心の豊かさを見失っていると思う。

池上　部活動での先輩と後輩の関係、恋愛で振られるといった人間関係も、心を豊かにしてくれる経験じゃないのかな。

生徒B　教養を身につける上では、やはり知識の多さが大切なのではないでしょうか。

池上　教養は基礎的な知識の積み重ねがあって初めて磨かれるものでしょう。たとえば外国の歴史や文化を知り、知識が結びついていく過程で、人々の価値観や人生観への理解を深めてい

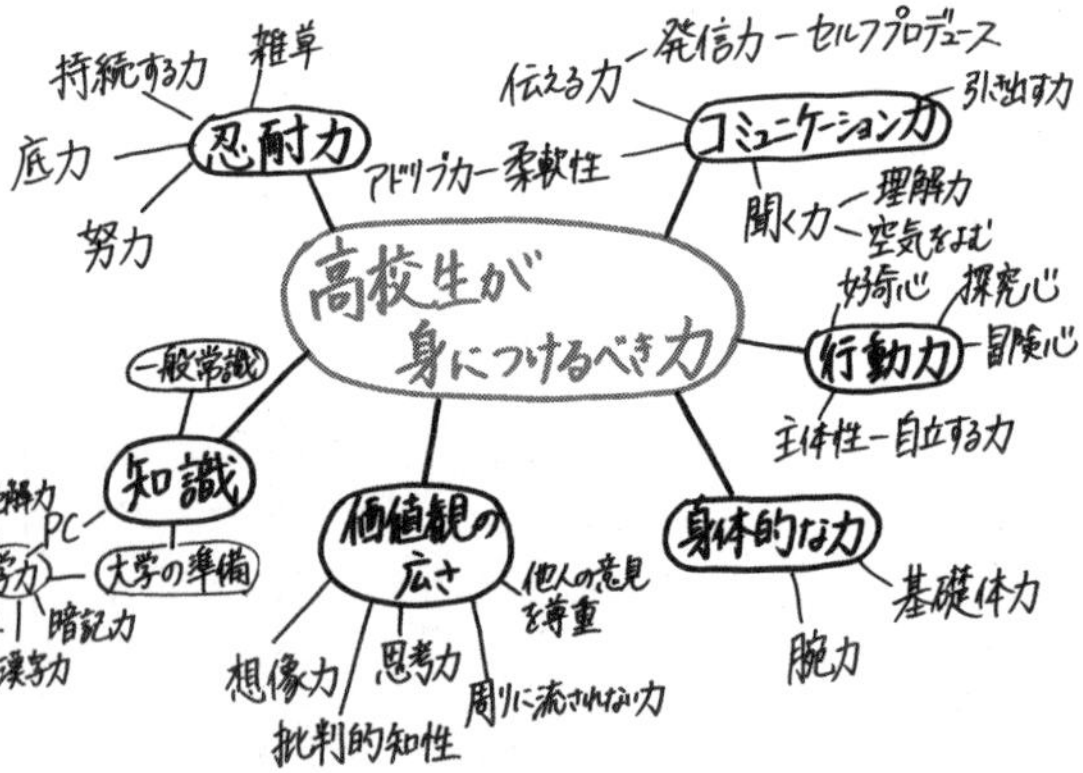

生徒たちは「高校生が身につけるべき力」についてイメージしたキーワードを整理し、マインドマップとして図式化した＝ICU高校提供

けるようになると思うよ。

生徒C 教養を効率的に身につける方法はないのでしょうか。

池上 そうした考え方がそもそも失敗のもとだよ。たとえば中国の明の時代、鄭和（ていわ）という人物がインド洋、アフリカ大陸まで遠征していた。コロンブスの一行が米大陸に到達するより1世紀近く前のこと。

こんな中国の歴史を学んで何になるかと思うかもしれないけれど、中国が南シナ海に人工島をつくり、実効支配する海域を広げている背景には、習近平（シー・ジンピン）国家主席が、そんな偉大な中国を復活させたいという願いがある。ニュースの背景には何があるのか、それを理解するために歴史は欠かせないよ。

受験勉強をしない方が教養を身につけられる？

生徒D 高校では知識を覚えることばかり。図形に例えれば、僕たちが学んでいることはどうしても平面的なイメージです。これに対して池上先生の教養は立体的に見える。受験勉強をしない方が教養を身につけられるのではないでしょうか。

池上 私が都立高校に通っていたころ、英語の参考書に「牡蠣（かき）のように寡默な人」という例文が出てきました。英語で牡蠣には「寡默な人」に例えられるイメージがあることを初めて知った。これまで「寡默な人」という英文を実際に使ったことはないけれど、知識を有機的に結びつける力を養うきっかけになったと思います。

たとえば日本では「インフォメーション」と「インテリジェンス」はどちらも「情報」と訳されることが多いですね。私なりに読み替えてみると、インフォメーションは「知識」、インテリジェンスは「教養」と意義づけられるかもしれません。

海外には米中央情報局（CIA）のような情報機関があります。いわゆる〝スパイ〟とされる人々が活用する情報の98％は一般に利用できる公開情報だといわれます。情報と情報を組み合わせ、重要な変化を読み解けるか。まさにインテリジェンスの勝負なのです。

知識の蓄積が教養の基礎になる

いま君たちは高校でたくさんの知識を学んでいます。蓄積された知識が、やがて

Professor's Memo

地図は語る

ジャーナリストとして、これまで世界85カ国・地域を取材してきました。ところが、タレントのイモトアヤコさんが訪問したのは100カ国・地域を超えたと聞きました。残念ながら当分、超えられそうにありませんね。どこの世界にも上には上がいるものです。

私が初めて訪れた街では、現地でつくられた世界地図を買ってくるのが楽しみです。地図の描かれ方を眺めると、その国や地域の政治的な思惑や世界観が伝わってくるからです。

たとえばイギリスの世界地図。イギリスからみて中くらいの東にあるのが中東。地図の一番東に位置しているのが極東です。日本はこの極東に描かれています。また、イランの地図ではパレスチナの位置は描かれていますが、そもそもイスラエルはありません。

あなたが子どものころから眺めているのは日本列島が真ん中に描かれた世界地図でしょう。ところが、私たちとは全く異なる世界を見ている人々もいるのですね。

化学反応を起こし、新たな知識の体系を築くことができるはずだよ。それが教養を磨くことにつながるのです。

20年ほど前、ベトナムで若者たちが一生懸命に本を読む姿を見ました。お金が無く、英語の本を万引した若者もいました。50年くらい前の日本に来た外国人は、通勤電車で、本を読む人が多いのを見て驚きました。まさに同じような風景でした。活字を読む人々が多い国は大きな成長を遂げます。

最後に、海外取材で「学ぶということについて」考えさせられた

生徒たちとの対話で「学べることは幸せなこと」と語りかけた（2017年11月8日、東京都小金井市）＝ICU高校提供

エピソードをご紹介します。

ネパールではある女性に会いました。家が貧しく、親の借金と引き換えに子どものころから働き続けていたというのです。

学校にも行けず文字を書けなかったのですが、非政府組織（NGO）の支援で助け出され、文字を習得することができたそうです。すでに大人の年齢になっていましたが、初めて名前を書けたとき「自分がかけがえのない存在であることに気づいた」と言っていました。

フィリピンではゴミの山から資源を集めては売り、労働力として生きる子どもたちがいます。ギャング同士の抗争に巻き込まれ、命を落とすこともあるそうです。そんな貧しい地域で生まれ育ち、ボランティアの支援で学ぶことができ、教師になった若者がいました。彼が語ってくれました。「私にとって教育とは決して人に盗まれることのない財産です」と。

あなたも、いまこうして学べることがどれだけ幸せなことであるか考えてみてください。そして、教育という財産を積み立てていることを知ってほしいのです。

第1部 CHAPTER 5

大学で学ぶということ

──「忖度」はやめ自分で考え抜こう

全国の新入生諸君、入学おめでとう。夢や不安を抱いてキャンパスへ通い始めたことでしょう。私も東京工業大学の新入生へ「大学で学ぶこと」をテーマに話をして、学生の疑問に答えました。自ら学ぶこと、生きていくことについて、改めて考えてみましょう。

大学では自ら問いを立て、答えを探す

私は2012年から東工大で教授を務めています。きっかけは、東日本大震災で原子力発電所の爆発事故が起き、大学教授ら専門家のテレビ解説がわかりにくかったこと。専門用語を使って解説した結果、視聴者にはわかりにくくなり、逆に不安が増幅してしまったのです。

このとき、日本には理系と文系の間に深刻な断裂があると感じました。この断裂に橋渡しできないものかと考えていたころ、東工大の先生方から「教授として来ませんか」と声がかかり、お引き受けすることになったのです。

君たちはいままで「生徒」と呼ばれてきましたが、これからは「学生」です。中学校や高校では文部科学省の学習指導要領に沿って、基本的な知識を身につける目標がありました。授業で教えられる事柄を正確に理解し、覚えればよかったのです。

大学には学習指導要領はありません。それぞれの専攻分野で、自ら問いを立て、その答えを探していかねばなりません。

東工大では、2016年のノーベル生理学・医学賞を受賞された大隅良典栄誉教授のような最先端の研究や理論に接することができます。ただし、中には学界の少数派だったり、やがて消えてしまったりする研究もあるかもしれません。

つまり、最先端の分野では、大学の研究や理論をうのみにすることはできないのです。まずは教授の話を素直に信じるのではなく、講義室では批判精神を持つことです。教授とは繰り返し議論し、質問をすれば、新たな気づきを生むかもしれません。

「忖度」の態度は、日本の受験教育の弊害

講義室や研究室では、忖度しないでください。この言葉は「その場の空気を読み、相手の立場を推し量り、頼まれてもいないのに自ら行動してしまうこと」とでも説明できるでしょうか。実に日本的な言葉です。外国人記者らが訳せなかったということもうなずけます。

この「忖度」と呼ばれる態度こそ、日本の受験教育の弊害だと考えます。難関校

を突破する、効率的な解答テクニックを身につけようと、子どものころから出題者の意図を素早く読み取る技術に、皆さんは磨きをかけてきたことでしょう。大学に入ったら、もうこういう態度はやめましょう。

「役に立つ大学」とは？

では大学で学ぶ目的とは何でしょう。ここ数年「社会や企業で役に立つ大学」というテーマが話題になります。「役に立つ大学」とは、即戦力になるような技術やスキルを身につけた学生を送り出すところなのでしょうか。

一般的に、大学は入学から学部卒業に4年、修士課程を出るなら合計6年が必要でしょう。現代のように、これだけ経済情勢の変化や技術革新が著しいと、そんな数年も先を見据えて特定の分野を学び、究めることは難しいのです。

そこで注目を集めているのが「リベラルアーツ教育」と呼ばれる取り組みです。学生が専攻以外にも学びの領域を広げ、議論を深めながら、「自らの頭で考え抜く力」を養う狙いがあります。理系の東工大でも戦後、積極的に力を入れてきた歴史があります。２０１６年からはすべての新入生が参加する「立志プロジェクト」という新たな試みもスタートしています。

以前、欧米の大学を視察して意外な発見がありました。理系学生が熱心に芸術に親しんでいたこと。学部で経済学は学んでも、ビジネスに役立つ経営学は大学院でという指摘もありました。とりわけ米ＭＩＴで聞いた「最先端科学はいずれ陳腐化する。すぐ役に立つことはすぐに役に立たなくなる」という発言は衝撃的でした。

日本でもかつて慶應義塾の塾長を務めた小泉信三が、同様の発言をしていたことを思い出したからです。古今東西、道を究める人々の価値観というのは、変わらないものなのですね。まさしく目からウロコでした。

あなたもやがて社会へ巣立つ日が来ます。多くの学生が研究者や技術者となるのでしょう。東工大で教授を務めてきた経験をもとにアドバイスするとすれば、将来起こりうる変化に耐えられる力、自ら課題を乗り越える力を養っておくことではないかと思います。その力を養い、鍛えるには「自らの頭で考え抜く」という経験を積み重ねることが大切です。

環境変化を乗り越えられれば、飛躍できる

毎年、就職活動が本格化すると、学生たちの人気企業ランキングが報じられます。戦後、大学生たちの人気企業というのは、エネルギー革命や技術革新によって大きく移り変わってきました。そして外部環境の変化を見事に乗り越えた日本企業は大きな飛躍を遂げています。

たとえば東レや三菱レイヨン（２０１７年４月から経営統合で三菱ケミカルに）。いまや航空機や車両に用いられる炭素繊維などの新技術で大きな世界シェアを握っています。富士フイルムは写真用フィルムが売れなくなる中で、医薬品や素材分野など新領域を切り開きました。それを支えてきたのも人なのです。

人生は明確な正解の無い難題ばかりです。君たちが自ら問いを立て、答えを求めて学ぶことは、やがて人生の岐路に立ったときに答えを出す力にもなるでしょう。

東工大で講演をした後、新入生たちからの質問が相次ぎました。どんな質問が飛

び出したのか、ご紹介しましょう。

受験制度は変えるべき？

学生A　池上先生は「すべてを疑え」とおっしゃいました。しかし、理系学生の一人としては、世界のあらゆる現象を改めて実験して確かめることなど不可能ではないかと考えます。信じることも大切ではありませんか。

池上　君は留学生かな。日本語が上手だね。私が強調したのは、最先端と呼ばれる研究や理論については、最初から信じない方がいいよという意味だったのです。

もちろん最先端の研究は、人類が長い時間をかけて築き上げた基礎研究の蓄積を土台にしています。基礎研究の信頼は疑いようがないですね。基礎は信じた上で、応用に関しては無条件ですべてを信じないことが大切なのです。次の質問はどうですか。

学生B 「東日本大震災の原発事故で専門家の解説がわかりにくく、文系と理系の間で言葉が通じない断裂を感じたことが大学で教えるきっかけになった」と話されました。そもそも文系と理系に分ける受験制度を変えるべきではないでしょうか。

池上 君のいう通りです。そこで、大学入試センター試験の制度見直しが進んでいます。と同時に、高校卒業時の学力をチェックするための「高等学校基礎学力テスト」の導入が検討されています。ただし、現時点で想定されているのは国数英の3教科だけ。本当は

新入生の質問を聴く筆者（2017年4月6日、東工大大岡山キャンパス）

文系科目も理系科目も満遍なくテストをすることで一定の学力を確保する必要があると思います。ただし、こうした問題意識は、みんなのコンセンサスが得られないとなかなか前には進まないものなのです。ほかにはどうだろう。

大量の読書が決断の糧に

学生C 企業が市場環境の変化を乗り越えるため、突破口を切り開いたエピソードを話されました。それが実現できたのも人材がいたからだと思います。企業は次のビジネスへの突破口を決断するために、何を判断材料にし、どう実現したのでしょうか。

池上 以前、あるメーカーの経営者に体験談を聞いたことがあります。毎月の営業実績が悪化していくのを見て、決断した結果が突破口を開いたそうです。次の戦略に必要な「何を優先するか」「判断に必要なタイミングは」といった節目を考える上で、歴史上の先人たちの決断を参考にしたそうです。大量の読書経験が、その裏打ちになったといいます。経営者が自ら決断をするために歴史に鑑みる。これこそリベラルアーツの成果といえるでしょう。

学生D （解説が通じなかったという）文系と理系の間にある溝をつなぐために、人工知能（AI）を駆使することはできないのでしょうか。

池上 なるほど。それも面白い選択肢かもしれないね。AIを労働の担い手にすることで、仕事が奪われるという指摘もあります。ただ、どれだけの情報をもとに、どのような結論を出せばよいのか、その仕組みを決めるのは、最後は人間なのですね。

たとえば、弁護士業務のサポートをAIに任せてはどうかという議論があります。膨大な裁判資料をAIに分析させて、弁護方針を決めるというのですね。過去の情報をもとに判断を下すことはできるでしょうが、果たして時代の新しい変化や人々の思いまでをくみ取ることはできるのでしょうか。とても難しい問題だと思います。

学びの第一歩は、疑問を持ち答えを探し求めること

講演会では、新入生が積極的に質問をしてくれました。すべてご紹介できないのが残念です。

最後に、あなたたちに伝えたいことがあります。講演会のテーマ「良き問いを立てるために」という問いかけは、自らの人生を切り開くために学ぶことの意味を考えてほしいという思いを託しています。自ら疑問を持ち、その答えを探し求めることが大学生としての学びの第一歩になるのです。

毎年春になると、町で新入社員らしき若者たちをみかけます。諸君もやがて、企業や研究所に入り、夢や希望に燃えて働き始めるでしょう。

ところが、いつしか自らの出世を考え、上司の意向を忖度する姿勢を身につけてしまっているかもしれません。今も昔も、企業が不祥事や経営の失敗を繰り返すのは、そうした油断や過信が根っこにあるのです。企業が復活するのも、経営危機に陥るのも、結局は人次第なのです。

あなたたちの人生の進路はそれぞれ異なるでしょう。しかし、いつか人間としての道や生き方を問われる場面があるかもしれません。そんなとき、胸を張れる人生を選んでください。これが新入生諸君へ贈る私からのメッセージです。

第1部 CHAPTER 6

池上彰先生に「いい質問」をしよう

東京工業大学で「池上彰先生に『いい質問』をする会」を開きました。学生たちの日ごろの疑問や関心事に対し、教授として答えるという初めての試みです。学生諸君が中心となって開いてくれました。高校生や大学生の皆さんも、一緒に考えてみませんか。

あなたたちは小学校のころから、先生の質問に答え、定期試験や入学試験で正しい答えを出す訓練をしてきたでしょう。でも、大学では「自らの問いを立て、その答えを考え抜く」という経験を積んでほしいのです。それがこの会を実現しようと考えたきっかけです。

まず、私からの問題意識として「日米関係」をテーマに話をしました。その一部を紹介します。

日本人のアメリカへの複雑な思い

いまや「日米同盟」と呼ばれる日米関係を考えるとき、日本人には複雑な思いがあると思います。ひとつは「戦争で日本は負けたのだから、アメリカの言うことを聞くのはしょうがない」という諦めの感情。一方で「毅然とした態度をとるべきだ」という考え方。また、「学問や文化も含めてアメリカが大好きだ」と、その魅力にひかれる人たちもいるでしょう。

日本では「保守」と「革新」という分け方が使われてきました。おおまかにいえば、アメリカと仲良くして安保条約を堅持する勢力である「保守」と、反対する勢力の「革新」とに分けられてきました。

その一方で、日本の伝統を重んじる保守勢力の中には「過度の親米はよくない」と考える人々もいて、ひとまとまりにしにくい面もあります。

アメリカのドナルド・トランプ大統領と安倍晋三首相は「蜜月関係」といわれます。トップの仲の良さは両国の交渉ごとにはプラスでしょう。北朝鮮問題が懸念される状況を考えれば、安全保障面でもよい効果を生むきっかけになるはずです。

ただし、「馬が合う」というのは果たしてプラス面だけなのでしょうか。良好な日米関係は大事なことですが、大統領個人と仲良くしすぎるリスクもあるのではないかという心配もあります。

たとえば、トランプ大統領がイスラエルの首都をエルサレムと認め、大使館を移すと宣言しました。これに対してイスラム世界は大きく反発しています。

この決断にはアメリカ国内の事情が影響しています。2020年には大統領選が控えます。2期目を目指すトランプ氏は目に見えるかたちで公約を実現し、影響力を持つユダヤ系人脈を大事にしたいのです。

さらに、トランプ大統領周辺とロシアとの不透明な関係をめぐる疑惑「ロシアゲート」から目をそらすためではないかという批判もあります。大統領選で民主党候補のヒラリー・クリントン氏を追い落とすため、ロシアが妨害工作を仕掛け、トランプ陣営がそれに関わっていたのではないかという疑惑です。このほかにも便宜供与、捜査への司法妨害が指摘されています。

特別検察官による捜査の結果、トランプ大統領や陣営関係者の犯罪を立証し、責任を問うことはできませんでした。ただし、「無罪」と断定することもできないという灰色の決着でした。

その後、トランプ大統領は米民主党の有力な大統領選候補者の一人であるバイデン元副大統領の子息の身辺調査をウクライナ大統領に求めたと報じられました。次回の大統領選に向けてこうした疑惑が再燃する恐れがあります。

国際紛争を避ける知恵

イスラム世界が反発し、新たな火種となることが懸念されます。

第2次世界大戦後、国連はパレスチナを「ユダヤ人の国」と「アラブ人の国」に分割することを決めましたが、3つの宗教の聖地エルサレムは国際管理とすることにしました。国際紛争を避ける知恵でした。ところが、中東戦争を経て、イスラエルはエルサレム全域を占領。実効支配してきた経緯があります。

イスラム世界から見れば、エルサレムが異教徒に支配されてきたと映るのです。教義を都合よく解釈し、過激な行動をとる過激派だけでなく、過激派に批判的な多くのイスラム教徒たちも、「国連決議に反した不法占領への抗議」という点では一致するでしょう。

イスラム教徒の数は世界におよそ16億人といわれます。トランプ大統領は、アメ

トランプ大統領に抗議してパレスチナ自治区ベツレヘムでデモ行進する人たち（2017年12月）＝共同通信社

リカから遠い中東で衝突が起きるというくらいにしか感じていないのかもしれませんが、イスラム世界の怒りを軽んじることは危険です。

これに対し、世界は素早く反応しました。フランスのマクロン大統領、イギリスのメイ首相（当時）をはじめ多くの首脳が反対の立場を表明したのです。後に日本も、アメリカの決定を無効とし、撤回を求める国連の決議案には賛成に回りましたが、当初の対応は明確ではありませんでした。

「明確に態度を示し、北朝鮮問題を抱えているときにトランプ大統領の機嫌を損ねるのは得策ではない」という配慮が働いていたのかもしれません。それも難しい政治的な判断です。ただ、配慮するあまり、思いがけないリスクが日本に及ぶことはないのでしょうか。

日本は1970年代、中東戦争で石油危機が起きたとき、アラブ諸国から「石油とイスラエルのどちらを取るか」厳しい選択を迫られました。日本が国際社会で置かれている構図はいまも同じ。こうした現代史を知っておいてほしいのです。

日米関係を話題にしましたが、親密な外交関係に潜む影響を別の角度から考えることも、「時代を読む視点」を養うきっかけになるでしょう。背景や将来など多角的に考えてみることが大切です。

そんなときは図書館を活用しましょう。スマートフォンでニュースを流し読みするだけでなく、新聞やテレビ、雑誌のコラムなど様々な情報に接してください。

「池上彰先生に『いい質問』をする会」では、国際情勢に対する疑問や問題意識について、学生たちから質問が相次ぎました。

共和党支持者の間では依然、根強い人気

質問 トランプ氏は問題発言が批判され、疑惑も指摘されるのに、なぜ、大統領を辞めずにすんでいるのですか。

池上 2017年の年末時点でアメリカ国内でのトランプ大統領の支持率は30%を超える水準でした。政党支持別に見ると民主党支持者では10%に満たないのに、共和党支持者は80～90%でした。日本からは見えにくいかもしれませんが、共和党で

は根強い支持があります。

アメリカには大統領を辞めさせる「弾劾制度」があります。罷免までの流れをおおまかにいうと、下院の過半数による決議によって手続きが始まり、上院の3分の2以上が有罪と判断することが必要です。ただし上院の過半数の議席は与党である共和党が押さえています。大統領を辞めさせることは現実的に難しいのです。

質問　トランプ大統領の発言はアメリカや世界に混乱や波紋を広げています。こうした問題は就任前にわかっていたのではないですか。

池上　アメリカの大統領選は総得票数で大

米共和党の会合で話すトランプ大統領（2018年2月1日、ワシントン）＝ゲッティ／共同

統領を選ぶわけではありません。実際、ヒラリー・クリントン氏はトランプ氏より総得票数でおよそ290万票上回ったのです。これは州ごとに、有権者の投票数の多かった候補者に大統領選挙人を振り分け、大統領選挙人の獲得数で決める仕組みに基づいているからです。

トランプ氏が支持されたのは、アメリカ社会が直面する深刻な課題と深い関わりがあります。

たとえばアメリカの自動車や鉄鋼など主要産業は海外企業との厳しい競争にさらされ、工場を縮小し、多くの失業者を出しました。特に中西部に多いとみられています。

報道などによれば、アメリカで白人男性の平均寿命が短くなっているという見逃

学生たちとの議論に参加する筆者（池上彰先生に「いい質問」をする会。2017年12月8日、東工大大岡山キャンパス）＝東工大提供

せない現象が指摘されています。その要因の一つとして、特に中年層では、医療用鎮痛剤の過剰摂取による健康への影響、自殺などが考えられています。

いわゆる「忘れられた人たち」と呼ばれる人々が、既存の政治家に愛想を尽かしトランプ氏を支持したのです。支持した人たちは、現実を変えたいと考えていたので、国際社会への影響など視野にありませんでした。国内を最優先する「アメリカ・ファースト（米国第一主義）」の背景には、こうした現実があります。

質問 トランプ大統領就任後、アメリカの株価上昇や過激派組織「イスラム国」（ＩＳ）の弱体化といったプラス面もあります。それでも批判的な報道が多いように思えます。

権力の監視はメディアの役割

池上 ニューヨーク・タイムズやＣＮＮなどアメリカの主要メディアはトランプ氏を批判的に報道します。それが権力を監視するメディアの役割だからです。一方、

ＦＯＸニュースは大統領寄りの報道に徹します。会社によって報道の姿勢も異なるのです。さらに支持者もメディアを選びます。

日本の多くのメディアはワシントンやニューヨークを海外報道の拠点にしています。トランプ氏に批判的なメディアに多く接していることで、大統領に厳しい報道が多くなる傾向があるのだと思います。

質問　トランプ大統領が就任後、アメリカ企業の生産や輸出にはどのような影響が現れるでしょうか。

池上　トランプ大統領は雇用対策の観点から、産業復活を目指す政策に力を入れています。短期的には公約実現であっても、中長期的にみると産業にプラスになることとなのかどうか疑問があります。

たとえば北米自由貿易協定（ＮＡＦＴＡ）で、メキシコからアメリカへの輸出に税金をかけると発言しました。しかし、自動車産業の場合は人件費の安いメキシコに部品を輸出し、現地で完成車に組み立てて輸入しています。税金をかけたら、自動車の価格が高くなって売れなくなる恐れがあります。経営戦略には大きな打撃となるでしょう。

就任直後、環太平洋経済連携協定(TPP)からの離脱を表明しました。将来、日本が輸入するオーストラリア産牛肉の関税は段階的に下がっても、アメリカ産牛

Professor's Memo

私が驚くような質問を!

2019年度は東京や愛知、長野の計9大学で講義をしました。このほか国内、海外での取材の合間を縫って、全国各地で開かれる大学などの講演会にも参加します。講義や講演の後には、学生や参加者からの質問を受け付けますが、最近、少し危惧していることがあります。それは、私の説明を聞いて、「わかったつもり」になっているのではないかという心配です。残念ながら、私が説明しなくても、自分で調べればわかる基礎的な疑問も目立ちます。

「知ること」と、「考えること」は別の作業です。いくら、たくさんの知識や情報を蓄えたとしても、「時代を見る目」や「歴史に学ぶ視点」を養うことはできません。その膨大な知識や情報をもとに、どんな背景があるのか、これからどんな展開が起こりうるのか、問題意識を持って考え抜くという経験を積み重ねることが大事なのですね。是非、私が驚くような問題提起をしてください。楽しみにしています。

肉の関税が下がらない事態になれば、アメリカの畜産業界の競争力には痛手となります。

その後、条件次第でTPPへの復帰を検討することもありうるとの報道もありました。貿易交渉の行方は予断を許しません。

質問 アメリカという国をどのように理解すればよいのでしょうか。

池上 報道で「欧米では」「アメリカでは」といわれることがあります。私自身、報道の現場にいますが、欧米やアメリカをひとくくりにした解説ができるものなのか疑問に思うことがあります。

アメリカの場合には「ワシントンやニューヨークはアメリカではない」という指摘もあります。「アメリカ」という、多民族で構成され、多様性を大事にする国を、ひとくくりにできない難しさがあるからだと思います。

学生たちからは、日本やアジア情勢に関する質問も寄せられました。

経済合理性が問われる難しいテーマ

質問　日本が自力で国を守る仕組みをつくるにはどんな問題があるでしょうか。

池上　指摘のように「日本が独自に自国を守る防衛力を持つべきだ」という考え方もあります。専門家が試算したところ、米軍と同じ規模の能力を獲得するには約20兆円が必要ではないかという分析がありました。

現実問題として、防衛に必要な航空機や艦船をつくり、維持していくには、大きな予算と人員を確保しなければなりません。「誰が国を守るのか」という究極の問題も、

筆者と学生たちは2時間あまり議論を重ねた（2017年12月8日、東工大大岡山キャンパス）＝東工大提供

経済合理性が問われる難しいテーマなのです。

さらに別の問題もあります。日本はこれまで専守防衛に徹してきました。ところが、防衛力を増強すれば、近隣諸国との新たな摩擦を生むかもしれません。

質問 中国が南シナ海などで影響力を強めています。どんな目的があるのでしょうか。

池上 中国の軍事力の膨張がアジアの大きな脅威になりつつあります。この戦略は少し視野を広げ、世界史的な観点から分析する必要があると思います。

たとえば、トルコのエルドアン大統領は大変豪華な大統領公邸を新設しました。儀仗兵（ぎじょうへい）の装いは、オスマン帝国時代を想起させるものだそうです。

ロシアのプーチン大統領の執務室周辺にはエカテリーナ2世の肖像画が飾ってあります。ソ連の崩壊を間近に見て、帝政ロシア時代のような強大な国家の復活を思い描いているように見えます。

中国の習近平国家主席も明の時代を思い描いているのではないでしょうか。かつて漢民族による王朝である明の時代、鄭和という人物が南シナ海、インド洋、アフリカへ向かう航路を切り開きました。それが「南シナ海は中国のもの」という主張の根拠になっています。

世界で帝国主義的な傾向が強まっていると指摘されるようになりました。それは「かつての栄光を再び」と考えるリーダーが増えているからではないでしょうか。

品質管理を揺るがした不祥事

質問 日本の品質管理を揺るがす大企業の不祥事が相次ぎました。経営は大丈夫でしょうか。

池上 日本企業は独自に厳しい品質管理基準を定めている場合があります。一連の不祥事が起きた背景には「我が社は取引先よりも厳しい基準を設けているのだから、すべて検査ができなくても、大丈夫だろう」といった気の緩みがあったのかもしれません。

長年続いてきた不正が表面化したケースもありました。これらはコンプライアンス（法令順守）意識が高まり、不正は許さないという社員の意識が芽生えてきたことの表れではないかとも思うのです。

質問 核廃絶は可能ですか。２０１７年のノーベル平和賞は核廃絶を目指す国際団体が受賞するなど、世界的に機運が高まっているように思います。

池上 現実としては非常に難しい問題です。トランプ大統領は核兵器の運用を強化する方針を持っています。「核なき世界」を掲げたオバマ前大統領からの大転換です。

ただ、国連で核廃絶に関する決議があったように、国際的な世論になりつつあるといえます。アメリカでも最近は若者を中心に核兵器に批判的な考え方をする人々の比率が高まっています。

私も国内の被爆者を取材する中で勇気づけられる言葉がありました。「私たちが核廃絶を訴えてきた取り組みは微力だったかもしれないけれど、決して無力ではなかった」。機運を高めるには、諦めないことが大切なのだと思い知らされました。

Professor's Memo

不良品を10%つくるための設計図

日本企業が目指してきた品質管理の高さを物語る小話があります。あるアメリカ企業から取引先企業に「製品の不良品は10％以内に抑えるように」という指示が出たときのこと。日本以外の企業は不良品を10％以内に抑えようと一生懸命に頑張ったそうです。これに対して日本企業は「不良品を10％にする設計図を送ってほしい」とアメリカ企業に問い合わせたというのです。不良品ゼロを掲げ、独自に挑んできた日本企業にしてみれば、「取引先から10％の不良品をつくる命令」が出たと受け止めたというのです。

日本の有名企業による品質管理をめぐる相次ぐ不祥事は、少なくとも「高品質」という日本の看板を大きく揺るがしたといえるでしょう。高い品質を実現し続けられるかどうかは、社員一人ひとりの努力にかかっています。そして、長年培ってきた企業の信頼も、たった一つの製品に対する消費者の不信によって崩れ去ってしまうものなのです。

未来を決めるのは君たちだ

質問　「第4次産業革命」で新しい産業や技術が生まれ、人々の働き方にも大きな影響が及ぶと指摘されています。日本にはどのような変化があるでしょうか。

池上　第4次産業革命という言葉が使われるようになりました。ただ、これからどんな社会がやってくるのか、未来のかたちがどうなるのかを考えるのは君たちの役割なのです。

私のような旧世代の人間には想像のつかない世界が訪れるのでしょう。大切なことは、これまでの価値観や世界観の延長線上で考えないこと。君たちの世代が新たな世界を築いてしまえばよいのです。それが若い君たちの特権ですから。

今回、学生との対話を通じて感じたことがあります。それは「池上先生に質問すれば、何かよい答えをもらえるのではないか」と期待しないでほしいということです。あるいは、そもそもの問題設定を疑うことも大切です。人生には正解のない問題がたくさんあります。問題意識を持ち、自らその答えを考え抜く努力を重ねてほしいのです。

第1部 CHAPTER 7

海外ではジョークが大切

――心をつかむスピーチの秘訣

フェイスブックの創設者で、最高経営責任者（CEO）であるマーク・ザッカーバーグ氏が2017年5月末、米ハーバード大学の卒業式で行った祝辞が話題になりました。東京工業大学の講義で、この内容を取り上げました。

ザッカーバーグ氏の自虐的ギャグ

ザッカーバーグ氏はハーバード大学在学中にフェイスブックの事業を始め、成功すると、さっさと大学を中退してしまいます。アメリカ東部のボストンを去り、西部のカリフォルニアに本拠地を移して事業に専念しました。いまがチャンスと考えれば、大学を中退して全力を尽くす。

「せっかくいい大学に入ったのだから、せめて卒業してから……」などとは考えなかったのですね。それが成功の秘訣でした。このあたりは、やはりハーバード大学を中退したマイクロソフト創業者のビル・ゲイツ氏と同じでした。

大学を中退したにもかかわらず、卒業式に来賓として呼び、祝辞を述べさせる。ハーバード大学の包容力もたいしたものです。

祝辞の冒頭、ザッカーバーグ氏は、「あなた方は僕ができなかったことを成し遂げた」と卒業生を持ち上げます。これ、本人は中退したので卒業できなかったことをネタにした自虐的なギャグです。

自分の失敗や欠点を紹介し、親しみを持たせる

これを受けて私は、「君たちも将来、海外でスピーチをすることがあるだろう。そのときには、必ずジョークで笑いを取ってから始めなさい」とアドバイスしました。日本人はとかく真面目すぎて、話が面白くないと思われてしまうからです。軽いジョークから始めれば、「この人は面白い話をしそうだ」と観客が身を乗り出してくれるはずです。

とはいえ、なかなかジョークから始めるのは難しいもの。そこで私は、たとえば次のようなものはどうかと提案しました。

「日本人は真面目でジョークから始めることができません。それどころか、開始時間が遅れたとか、予定通りに進まないとか、とかくお詫(わ)びから話し始めることが多いのです。

というわけで、私も、本日はジョークが思いつかないことをお詫びします」

これも自虐的ギャグです。人はつい自慢をしがち。でも、他人の自慢話など面白

くありません。自分の失敗や欠点、能力のなさを紹介することで、親しみを持ってもらうことができるのです。

ザッカーバーグ氏は、さらに自虐的ギャグを積み重ねます。自身がハーバード大学で最初の授業に出席する際、Tシャツを前後逆に着ていたため、周囲の学生が声をかけてくれなかったという失敗談を披露したのです。

「あのザッカーバーグでも最初はそうだったのか！」。聴衆は急に親近感を持つはずです。

具体例が説得力を高める

スピーチで大事なのは、自分の言いたい

ハーバード大学中退のザッカーバーグ氏、名誉学位を取得（2017年5月25日）＝UPI／アフロ

ことを裏付ける具体例を提示すること。抽象的な話ばかりでは説得力がないからです。

ザッカーバーグ氏が持ち出したのは、かつてジョン・F・ケネディ大統領が米航空宇宙局（NASA）を訪問したときのエピソードです。ホウキを持った清掃員に何をしているのかと尋ねたところ、清掃員は「私は人類を月に送る手伝いをしているのです」と答えたというのです。

この挿話から、ザッカーバーグ氏は何を言いたかったのか。それは、「目的」の大切さでした。

ザッカーバーグ氏は、祝辞の中で「目的」の大切さを強調し、次のように語りかけました。心にとまった表現の一部を、私なりの解釈でご紹介します。

「そんな社会は間違っている」

僕らは、大きな目的に向かって進むことが必要だ。大きな目的に進もうとすると、狂人扱いをされてしまう。「何をやっているのかわかっていない」と非難される。でも、事前に全部わかっているなんてことは不可能だ。ミスを恐れるあまり、何もしないでいたら、結局何もできなくなる。

僕らは僕らの世代の課題に取り組むべきだ。気候変動問題（温暖化問題）に取り組むのも、すべての病気に関する遺伝子データを集めるのも、オンラインで投票できるようにして民主主義を現代化することも、やる価値がある。みなが目的を持って取り組むこと。みなが目的を持てるようにすること。それが大切なのだ。

そして、誰もがその目的に参加する自由を持てるようにすることだ。

しかし今日、僕らの社会は深刻な格差の問題を抱えている。その格差のために、誰かがアイデアを実行に移すことができなかったら、それはみんなにとっての損失になる。

僕は大学を中退して何十億ドルも稼げたけれど、その間に何百万もの学生が学費ローンの支払いに困り、自分たちのビジネスを始めることができないでいる。そんな社会は間違っている。

よいアイデアを持ち、頑張って働いたからといって、誰もが成功するわけではない。運も必要になる。新しい挑戦を始められるような余地がなければ、起業は成功

母校ハーバード大で卒業の祝辞を述べるザッカーバーグ氏（2017年5月25日）＝ロイター／アフロ

しない。人々が安心して起業に取り組めるような余裕が社会に必要なのだ。

誰もがミスをする。だからこそ、一度失敗したら、それで社会的に抹殺されることがない社会が必要だ。

ミレニアル世代（1980年から2000年ごろに生まれた世代）にアイデンティティーを問うと、一番多い回答は国籍でも民族でもなく「世界市民」だ、という調査結果があるという。

世界の人々と協力して、僕たちは世界から貧困や病気を終わらせることができる世代でもある。気候変動問題や世界的な感染症の拡散について、どの国も一国だけでは対処できない。グローバルな協力関係が必要なのだ。もし人々が自分自身の人生に目的と安定を感じて生きられるとしたら、人類は、他の地域の人たちの問題について手を差し伸べることが可能になる。だからこそ、そのために僕たちができることがあるはずだ。

理想を語る力強い言葉を

ザッカーバーグ氏の祝辞は、冒頭部分で笑いを取り、聴衆の心を捉えているという話を前述しました。祝辞の後半部分で、彼は、ハーバード大学に入学そして卒業できるだけの恵まれた環境にいる学生たちに対し、少しでもいい社会を築くためにできることをしようと呼びかけました。

この理想主義。理想主義を滔々（とうとう）と語って、誰も白けない。ここに言葉の力強さを感じます。

日本の若者たちも、こうした理想を堂々と語り合えるようになってほしいと切に願います。

第2部 明日を見極める——正しい情報を知り、考え、判断する

君たちのポケットにはスマートフォン（スマホ）が収まっているはずです。いつでも、どこでも頼りになるかもしれませんが、情報の洪水に押し流され、溺れかけていませんか。大事なことは、自ら情報を見極める力を鍛えること。今日からチャレンジしてみましょう。

新入生に向けて講演する筆者（2017年4月6日、東工大大岡山キャンパス）

第2部 CHAPTER 8

ニュースを毎日チェックしよう

――君たち自身で世界のシナリオを描こう

高校や大学を卒業し、新社会人生活のスタートとともにこの本を手にしてくれた若者もいるかもしれませんね。そこで身近な情報源であるニュースの読み方について一緒に考えてみましょう。ニュースを知ることは、時代の流れを読むための生きた教材になるのです。

ショックの波紋は、これから拡大

まず、2017年以降の世界の潮流をおさらいしてみましょう。トランプ氏のアメリカ大統領への当選やイギリスの欧州連合（EU）離脱決断といった、2016年の「あり得ない」と思われた出来事の波紋が大きく広がりました。100年後に振り返ったとき、世界史が大きく動いた転換点の年になる可能性があります。

トランプ氏は「アメリカ・ファースト（米国第一主義）」を掲げ、既存の政治を否定して劇的な当選を遂げました。就任後、大型減税を実現する道筋をつけましたが、実際に議論をまとめ、公約として掲げた政策を推し進めていく難しさにぶつかっています。

たとえばテロ対策のためイスラム圏からの入国を制限する大統領令は、裁判所の一時差し止めの仮処分に遭いました。前政権が実現した医療保険制度改革法（オバマケア）の代替法案は、共和党内部の協力が得られず、議会で採決できませんでした。共和党支持者以外の不支持率は高く、厳しい政権運営が続いてきました。

トランプ政権発足前からのロシアとの不透明な関係をめぐる疑惑「ロシアゲート」のような、政権内部の疑惑を報じるマスメディアとの対立も続いています。大統領就任1期目で、どれだけ具体的な成果を残せるかはわかりません。

日本企業の行方も注視する

転じてヨーロッパです。イギリスのメイ首相（当時）は２０１７年3月29日、国民投票に基づく「離脱」をＥＵへ正式に通知しました。原則2年とされる交渉が始まりましたが、結局まとまりませんでした。メイ氏は混乱の責任を取って辞任に追い込まれました。この間、ＥＵ離脱の期限は相次いで延期されてきたのです。ＥＵ加盟国の離脱は初めての出来事です。加盟国間だけでなく、イギリスに進出している日本企業が他のＥＵ圏内に移転するか、世界経済にどのような影響が及ぶのか、注視する必要があります。

２０１７年はＥＵの基礎となる「ローマ条約」を調印した１９５７年から60年の節目でした。ヨーロッパの人々は2度の大戦の惨禍を経験し、ひとつの欧州を掲げて平和の実現を目指してきましたが、その試みは大きく足踏みしています。

日々のニュースからシナリオを立てる

これは大学の講義でも学生に伝えていることですが、ニュースは時代を知る窓であり、そこに見える風景は日々刻々と移り変わっていきます。大切なことは、その変化を押さえ、世界がどの方向へ向かうのか、自分なりのシナリオを描きながら、次の展開に備えておくことだろうと思います。

その視点を養うには、毎日ニュースをチェックすることが大切です。国際政治だけでなく、日本の経済動向など関心の持てるニュースに絞ってもよいかもしれません。ときには歴史に学びながら、時代を見据える作業を重ねることです。たとえばアメリカが現代の「アメリカ・ファースト」のような外交政策を最優先したのは、今に始まったことではないからです。

この作業を重ねていくと、将来の様子がおぼろげながらに見えてくるはずです。新聞やテレビで知るニュースは生きた教材でもあるのです。ニュースは積み重なり、やがて歴史となります。

変化に備え、自分のことは自分で守る

時代を見極める視点を持つことは、自らの生き方や職業を考えていく上でも大いに役立つでしょう。学生時代には学校や先生が防波堤となり、君たちを守ってくれましたが、これからは自らの頭で判断し、人生を切り開いていかねばなりません。自分のことは、自分で守っていかなくてはならないのです。

人工知能（ＡＩ）の開発が急速に進み、人間の判断力や能力を超える日が来ると予測されています。しかし、自らの人生を決断するのは、ＡＩではありません。君たち自身なのです。多くの人々があり得ないと考えていた出来事が起こる世の中だからこそ、時代を読むアンテナを高く張り、変化に備えておく必要があるのです。

好奇心と学び続ける意欲を失わなければ、きっと人生は豊かになるはずです。期待しています。

Professor's
Memo

訓練は役に立つ?

ニュースで北朝鮮のミサイル発射に備えた避難訓練を見て、本当に役に立つのか疑問が浮かびました。そして桐生悠々の名前を思い出したのです。

1933年、信濃毎日新聞社の主筆だった桐生は、「関東防空大演習を嗤ふ」と題する社説で、軍の大規模な防空演習の限界を批判しました。「敵の爆撃機は日本本土の周辺で防がねばならない。本土へ侵入させたら、関東大震災のように帝都（東京）は焼け野原になってしまう」と。ところが、この社説が軍部の怒りを買い、主筆の座を追われました。しかし実際、彼が亡くなった4年後、東京は米軍の大空襲によって焼け野原となったのです。

もちろん危機に備える努力も大切ですが、ミサイル攻撃による被害の大きさを想像すると、果たして避難訓練で役に立つものなのかどうか。外交を通じて危機の芽を摘み、最悪の事態を回避する環境づくりも不可欠ではないかと思います。

第2部 CHAPTER 9

フェイクニュースにだまされない

──すぐに反応せず、情報を咀嚼しよう

このところ「フェイク（偽）ニュース」という言葉をよく聞くようになりました。アメリカのドナルド・トランプ大統領が、自分にとって不利なニュースを、こう決めつけるのです。ところが、トランプ大統領誕生の背景にもフェイクニュースの存在がありました。

一番得をしたのは、悪質なサイト運営者

２０１６年、アメリカ大統領選を取材しているさなか、飛び出してきた〝ニュース〟が、「ローマ教皇（法王）がトランプ候補を支持」というものでした。

カトリック系キリスト教のトップであるローマ教皇が、特定候補者を応援する発言をすることなどあり得ないことは、常識で考えればわかるはず。

ですが、多くの人が反応し、交流サイト（ＳＮＳ）で拡散しました。とりわけトランプ候補の支持者たちが強く反応したといわれます。

人口5万人の小さな街でトランプ氏寄りの偽ニュースサイトが乱立した（マケドニア中部ヴェレス）

トランプ候補に有利になったフェイクニュースでしたが、結局、一番得をしたのは、フェイクニュースをインターネットで流し、大勢の人を自分のニュースサイトに引きつけ、広告収入を稼ぐ悪質なサイト運営者でした。真実のニュースを伝える責任はどうでもよいのです。実際、マケドニア（現・北マケドニア）という小さな国では、人々がフェイクニュースで儲（もう）けていたというニュースが報じられました。

新聞を読み続けることが、フェイクニュース対策に

これに対して２０１７年に行われたフランス大統領選では意外な現象がありました。アメリカ大統領選ほど、フェイクニュースが問題にならなかったというのです。現地からの報告には驚きました。一体どうしてなのでしょう。

フランスの現地で取材してきた人に聞いたところ、複数の人が、「フランスの有権者には新聞を読む習慣が根付いているからではないか」というのです。

紙面を通じて日々のニュースを知り、考え、自分なりに判断する習慣を身につけているからではないかというものです。

なんだか日本の新聞社が喜ぶような結論なのですが、新聞を読み続けることがなぜフェイクニュース対策になるのでしょうか。

ネットの利点は、探したい情報が瞬時に大量に集まること。手元の画面で世界中の情報に触れられることは、とても便利ですし、魅力的です。

Professor's Memo

「憶測」「見方」には要注意

新聞やネットのニュースで、「……との憶測が出ている」とか「……との見方もある」といった表現に出合ったことはありませんか。そのときはニュースの信ぴょう性を疑ってもよいかもしれません。つまり、「誰の憶測なのか?」「誰の見方なのか?」を具体的に示さずに、記者の視点を押しつけている恐れがあるからです。もちろんニュース源の秘匿という大事なルールもありますが、配慮が必要なニュースかどうかは読めばわかります。

ジャーナリストの仕事で大切なことのひとつは、事実の裏付けという地道な作業です。関係者や現場の取材を通じて事実を発掘し、その断片をつなぎ合わせ、"真実"というゴールに近づくための作業といえるかもしれません。ニュースを読むとき、記者の取材姿勢や問題意識についても、注目してみてください。ネット上に広がる「フェイク(偽)ニュース」を見極める対策にもなるでしょう。

しかし、この便利さの陰に問題があります。スマートフォンなどの画面に表示される情報の真偽を問わず、瞬時に反応し、自分に都合のよい情報だけを受け入れる生活に慣れてしまっているのではないか、と危惧されるのです。

新聞の魅力は「一覧性」

これに対して新聞は、ひとつの問題について肯定的な意見、批判的な意見を併記する編集をしています。紙面を開くと問題をバランスよく理解できるような工夫がされています。「一覧性」の魅力でしょう。

新聞が手元に届くスピードより、ネットで流れる情報の方が速いのは当然のこと。だからといって、スピードが速ければいいというものでもありません。

世界や日本の動きを伝えるニュースをいったんせき止め、じっくり読み進むことに、新聞は適したメディアです。瞬時に反応するのではなく、時間をかけて咀嚼（そしゃく）してみる。それが大事なことだと思うのです。

私の場合、毎朝、全国紙や地方紙、小学生新聞など12紙に目を通します。見出しを中心に20〜30分でチェックします。執筆や取材に役立ちそうな記事を取り出し、仕事の合間や夜になってからじっくり読み直します。興味を持った記事は、文献などで深く調べます。もちろんネットも活用しますが、もう何十年と続けている習慣です。

たとえ一日10分でも、地道な積み重ねが力になる

体験からいえば、フェイクニュースにだまされないようにするには、こうした地道な作業の積

大学の図書館は身近な情報の宝庫（東工大附属図書館にある新聞コーナー。大岡山キャンパス）＝東工大提供

み重ねが大切だと思います。情報を見極める力を鍛えることができれば、人生や仕事の決断においても役立つでしょう。まさに「継続は力なり」です。

とはいえ、複数の新聞を読み比べるのは、なかなか困難です。いつもはお気に入りの一紙を読むものの、大ニュースが起きたときはコンビニエンスストアなどで別の新聞を買って目を通すことです。

あるいは、新聞各紙を取り揃(そろ)えている図書館に顔を出すことです。一日に10〜20分でもよいのです。新聞をほとんど読んだことがない人も、久しぶりに読む人も、発見があるかもしれません。それが情報を見極める力を身につける第一歩です。

第2部 CHAPTER 10

〝真実〟をめぐる攻防

――ネット社会に潜むリスクに備える

朝起きてから夜寝るまで、通話だけでなく、情報検索や映像の視聴といったスマートフォン（スマホ）の機能は大きな魅力です。しかし、私たちの暮らしはインターネット社会が生み出す新たな課題にも直面していま す。そこで「ネット社会に潜むリスク」をテーマに考えます。

まん延する「脱・真実」

前述したように、アメリカのトランプ大統領はよく、「フェイク（偽）ニュースだ」というセリフを会見などで連発します。記者が疑惑を追及しようとすると「それはフェイクだ」といって相手にしません。自身に都合が悪い質問を遮るための言動です。

特に就任前からのロシアとの関係をめぐる疑惑は「ロシアゲート」とも呼ばれ、国民は大きな関心を寄せていましたが、捜査を指揮していた米連邦捜査局（ＦＢＩ）長官の解任に発展しました。米共和党内からも驚きの声が上がりました。

いま、米大統領とメディアの関係は異常事態に陥っています。特定の報道機関を締め出したり、記者クラブ主催の夕食会を欠席したり、相互の信頼は揺らいでいます。それでも怯（ひる）むことなく大統領を追及するアメリカのメディアの強さには感心します。

大統領選挙中、トランプ氏に有利と思われるフェイクニュースがネットを駆けめぐりました。冷静に考えれば「ウソだ」とわかるのですが、関心を持って読み、信じた人々もいました。

そうした誰かの意図的な情報操作が、人々の世論に影響を及ぼす時代が来てしまったのでしょう。フェイクニュースで驚いた人たちがウェブサイトを訪問してくれれば、広告料が入ります。一部の人々の金儲けの手段にもなってしまいました。

世界的な英オックスフォード英語辞典が選出した2016年を象徴することばは、「ポスト・トゥルース（Post Truth）」でした。直訳すれば「脱・真実」といった意味になるでしょうか。

つまり、情報が事実かどうかよりも、情報の受け手の感情や信念を動かす情報の方が、世論を形づくる上で重要な役割を持っている時代。そんな時代の変化を象徴するキーワードです。

ネットの情報に惑わされない素地をつくる

「フェイクニュース」や「ポスト・トゥルース」を生んだ要因のひとつには、スマホやSNS（交流サイト）の急速な普及があるかもしれません。刻々と画面から伝わってくる情報の真偽や中身を確かめる前に、印象やムードに乗り、「見て、信じる」習慣が根付いてしまったのではないかと危惧しています。

ネットやスマホの存在が悪いということではありません。大事なのはその使い方であり、情報の見極め方なのです。大切なことは、情報の真偽を見極められる視点や判断力を養うことです。いつの時代にも、うまい儲け話に乗ってしまい、投資したお金が返ってこないという詐欺被害は後を絶ちません。

アメリカ大統領選で問題視されたフェイクニュースですが、前述したように、フランス大統領選ではそれほど話題になりませんでした。一説には、新聞をよく読み、ネットの情報に簡単に惑わされない素地があったからという指摘がありました。伝統や文化を重んじるお国柄を象徴するエピソードかもしれません。十分うなずける仮説です。

ネットで集まるのは「自分のほしい情報」

もちろん、情報の真偽を見極める視点や判断力を養うことは、一朝一夕では不可

Professor's Memo

検索できない“ロクヨン”

中国を訪問したときのこと。パソコンで「64（ロクヨン）」というキーワードを打ち込んでみました。話に聞いていた通り、やはり画面には何も出てきませんでした。「64」とは、1989年6月４日に起きた天安門事件のことを指しています。天安門事件では、民主化を掲げる学生らが弾圧され、天安門広場の周辺で多くの死者・負傷者が出たと見られています。当局は死傷者数を公式発表していますが、信頼できる数字かどうかはわかりません。

中国には、インターネット上で体制を批判する書き込みなどを監視するサイバーポリスがいるといわれます。以前、その数は「数十万人が動員されている」という解説を聞いたことがあります。しかし、国民が自分の国の過去の事実すら知ることができないという事態は、やはり異常なことではないでしょうか。若者たちが自国の未来を考える上でも、まず歴史を直視することから始まるのではないかと思うからです。

能なこと。ただ、ネット社会には、大量の情報を無条件に受け入れるリスクがあることも知っておく必要があるのです。

これは日本の社会でも気をつけなければならない課題です。これから憲法改正の議論などをきっかけに、国民の意思が問われる時が来るかもしれません。そんなとき、ムードに流されず、議論を見極め、客観的な判断を下せるかどうかが重要になってきます。

漫然とスマホの画面を眺めているのではなく、ときには「どうしてなのか」「本当なのか」と疑うことも大切です。ネットでは、自分がほしい情報が集まる傾向がありますから、反対意見や批判的な指摘にも目を向ける経験をしてみる必要があるのではないでしょうか。

私たちはネットを通じて電子メールをやりとりしたり、商品を買ったり、様々なサービスを利用できるようになりました。その手軽さや便利さは大きな魅力ですが、一方でいつの間にか想像もつかない新たなリスクにも直面しています。それは見えない敵との〝戦争〟です。

サイバー攻撃は世界的な同時多発テロの様相

2017年5月、世界を混乱に陥れた事件を覚えていますか。米マイクロソフトの基本ソフト（OS）「ウィンドウズ」の古いバージョンの弱点を狙い撃ちしたサイバー攻撃です。そのコンピューターウイルスの名は「ワナクライ（WannaCry＝泣き出したい）」。

感染後、いわゆる「身代金」を支払わなければ、パソコンに記憶されている重要なデータなどを使えなくして、利用者を困らせます。この身代金を意味する「ランサム」が語源となり、「ランサムウエア事件」と呼ばれるようになりました。

その被害はアメリカ、日本、中国、ヨーロッパ、ロシアなどを含めて150カ国に及んだという報道もありました。特にイギリスで紹介された被害は深刻で、病院での診療や手術などが止まるという事態に陥ったそうです。まさにサイバー空間を舞台にした「同時多発テロ」と言っても過言ではありません。

「ランサムウエア」の犯人をめぐっては、「北朝鮮が関与している」といった報道もありました。米国家安全保障局（ＮＳＡ）が開発したソフトウエア技術の一部が外部に流出し、この技術が使われたと推測されています。まだ不明な点も多いのですが、今回のサイバー攻撃によってＮＳＡは世界のパソコンやネットワークを監視・盗聴する技術を開発していたのではないかと指摘されています。

従来のウイルスの被害といえば、パソコンのデータが盗まれたり、勝手にパスワードが操作されたりするなどの事件が報じられてきました。一般的に、電子メールに添付されたファイルを開けてしまい、そこに仕組まれていたウイルスにパソコンが感染するケースが多いようです。

今回のランサムウエア事件は、世界規模でほぼ同時に被害が広がっていったという点が大きな特徴です。今日では交通やエネルギーといった社会基盤の運用を、大規模なコンピューターシステムやネットワークが支えています。21世紀は、あらゆるモノがネットにつながる「ＩｏＴ」社会を目指しています。こうした基盤の信頼を大きく揺るがしかねないのです。

メディアリテラシーやITスキルが重要に

今回はマイクロソフトOSの古いバージョンがターゲットとなり、パソコンの被害が広がりました。もっと多くのパソコンが対象になった場合、国の社会システムや経済活動が致命的なダメージを受け、国全体が混乱に陥るかもしれません。君たちが日ごろ使っているパソコンやスマホがいつの間にかターゲットになる日も来るかもしれません。君たちにとっても、決して他人事ではないのです。

このため、ネット上の空間を舞台にした「サイバー戦争」という新たな危機が現実になっています。アメリカをはじめとしたいくつかの国々では、サイバー戦争に備えて専門部隊を創設しています。アメリカのオバマ前大統領はかつて、サイバー戦争を仕掛けられた場合、「ミサイルによる応戦」も選択肢のひとつであると言及していました。

様々なメディアが伝える情報を自らの視点で見極められる能力を「メディアリテラシー」といいます。信頼性のない、いい加減な情報に基づいた記事が大量にウェ

世界各国で同時多発したサイバー攻撃について記者会見で注意喚起する情報処理推進機構（IPA）の担当者（2017年5月14日、東京都文京区）＝共同通信社

ブサイトに掲載されていた「まとめサイト問題」がニュースになったこともあります。そんな記事にだまされないためにも大切な能力です。その一方で、一定水準のIT（情報技術）を使いこなせる能力を磨いておかなければ、日進月歩で進化するウイルスに対応しきれない時代がやってきました。

実際、2017年6月下旬には再び、欧米など複数の国々でサイバー攻撃による大規模な被害が出たと報じられました。パソコンが感染したウイルスには新たな改良が加えられていたようです。

ぜひ、若いあなたたちにも、こうした「ネット社会に潜むリスク」があることに気づいてほしいのです。見えない敵がもたらす危機に備えて、メディアリテラシーやITスキルを身につける教育の機会をどのように増やしていけばよいのか。社会全体で考えていかねばならないテーマになってきているのです。

第2部 CHAPTER 11

文庫の教養主義はいま

——頭の中に、運動場を建設しよう

新潮文庫は創刊から実に1世紀が過ぎ、岩波文庫は90年を超えました。歴史があるのですね。学生時代にすっかりお世話になった文庫の数々。「本が売れない」と言われ、古典を中心とした文庫が以前ほど売れなくなったという話を聞くたびに残念な気持ちになります。

岩波新書の全冊読破を計画した高校時代

高校・大学時代、慢性的な金欠病だった私にとって、文庫あるいは新書は手軽に教養を得られる優れものでした。

当時の文庫は定評ある古典ばかりでしたし、新書は、大学教授が専門の研究分野を一般向けに書いたものでした。当時の高校生にとって、新書は気軽に読める本の代名詞でした。

私が通った都立高校の図書館は、円形校舎という特徴のある建物の2階を占めていました。毎日のように図書館に顔を出していましたが、黙々と勉強する生徒が多い中で、カップルが仲良く調べものをしているのを見ると、内心舌打ちをしながら書棚に向かったものです。

当時は、図書館にある岩波新書の全冊を読破しようと計画。片っ端から読み進めたのですが、途中で、どうしても読み進むことのできない本に遭遇。それをパスできなかったため、結局挫折してしまいました。

大学時代は岩波文庫のお世話に

その一方、文庫は自分の小遣いで買うことが多かったようです。

高校時代、なぜか「カントぐらい読めなくては」という強迫観念から岩波文庫の『純粋理性批判』（篠田英雄訳）を購入。読み始めるも、冒頭から頭の中にはクエスチョンマークが点滅。何のことやら理解不能なままページを繰ったことを思い出します。これが「知的虚栄心」というものだったのでしょう。

大学に入ると、岩波文庫にすっかりお世話になります。当時、文庫の定価は星（★）の数で示されていました。★1つなら50円、★2つなら100円という値決め

「学生時代の読書を通じて、自分なりの思索を巡らすことの大切さを学んだ」（左から『純粋理性批判・上』、『読書について』、『図書』臨時増刊号「私の三冊」）

です。いまから思うと、驚くべき手法でした。値上げするときは、★1つの値段設定を上げるだけで、発行済みの本の定価を刷り直す必要はなかったのですから。

読書中の自分の頭は「他人の思想の運動場」

まずは★1つの本をすべて読破しよう。そう考えて、次々に読んでいきました。そこで出合ったのが、ショウペンハウエルの『読書について』（斎藤忍随訳）でした。おお、書名からして、読書の大切さを力説しているのだろう。我が意を得たり、とばかりに読んでいたら、次の一節が目に留まりました。

「読書とは、他人にものを考えてもらうことである。本を読む我々は、他人の考えた過程を反復的にたどるにすぎない。習字の練習をする生徒が、先生の鉛筆書きの線をペンでたどるようなものである。だから読書の際には、ものを考える苦労はほとんどない。自分で思索する仕事をやめて読書に移る時、ほっとした気持ちになるのも、そのためである。だが読書にいそしむかぎり、実は我々の頭は他人の思想の運動場にすぎない」

なんということ。本をたくさん読んでいれば、教養が身につき、思索する力が得られると考えていたのに、そうではないというのです。

ただ本を読んでいればいい、というわけではない。読んだ上で、自分なりの思索を巡らしてみること。そこで初めて、自分の頭の中は自分の思想の運動場になれるというのです。

でも、そもそも本を読まない人にとっては、頭の中に運動場すら存在しないでしょう。まずは運動場を建設するため、文庫に手を伸ばしましょう。

学生諸君、人生の思い出になる一冊と出合えますように。

第2部 CHAPTER 12

最適な資源配分を考える

——「経済」という視点から世界を眺めてみよう

私は大学での講義で、身近な話題を使いながら経済学について解説することがあります。そこで、大学生や高校生の学びのヒントになるよう教養としての経済学についてお話ししましょう。題して「経済は生きている」です。

大谷選手の才能も資源として考えてみる

私なりに経済学を定義してみれば、「資源の最適配分を考える学問」といえると思います。ここでいう「資源」とは原油や鉱物などもあれば、企業の人材も含まれるでしょう。最適配分を考えることによっていかに最大の効果を得るかという学問なのです。

少し脱線しますがプロ野球の選手を例にしてみましょう。アメリカのメジャーリーグ、ロサンゼルス・エンゼルスへ移籍した、元北海道日本ハムファイターズの大谷翔平選手です。

これまで日本の球団は、非凡な才能を伸ばそうと、投手と打者の両方で出場する〝二刀流〟として起用してきました。才能を資源と考えた場合、どう配分すればよいのでしょう。

試合に登板した後は休養も必要でしょうし、打者としてのトレーニングも欠かせません。投打の才能を最大限に引き出して、前人未到の記録に挑むこともできるかもしれません。ただ、長い野球人生を考えると、果たして〝二刀流〟のままでよいのか疑問です。

そんなときは歴史がヒントになります。偉大なホームラン記録を残したアメリカのベーブ・ルース、日本の王貞治氏は、いずれも、もともとは投手でした。意外な共通点があります。大谷選手も、あえて投打のどちらかに挑戦の道を絞ることも、新たな可能性を導き出す上で重要な判断になるかもしれません。メジャーリーグでの活躍を期待しています。

これほど暮らしに身近な学問はない

話を戻しましょう。経済学というと、難しく受けと

才能や技術力も重要な資源と捉えることができる（キャンプ初日、打撃練習に向かう米大リーグ、エンゼルスの大谷選手。2018年2月14日、米アリゾナ州テンピ）＝共同通信社

められるかもしれませんね。でも、私たちの暮らしにこんなに身近な学問はありません。たとえば朝起きればご飯を食べて歯を磨くでしょうし、通学中にスマホを眺めるでしょう。

歯ブラシと歯磨きチューブ、スマホと通信サービス。これらの財（商品）やサービスの多くは企業が生み出したもの。消費者は対価として料金を支払います。企業は利益を得て従業員に給料を払います。成長が見込めれば、新たな投資をします。ここでも最適な配分を考えねばなりません。

企業の判断が難しいのは、将来の需要の見極めや海外勢との競争です。仮に市場の成長が見込めたとしても、過剰投資や買収などで判断を見誤れば、経営も行き詰まってしまいます。近年でいえば、シャープ、東芝といった老舗企業の経営危機がその代表例です。

経済学の系譜をたどると、実は１００年以上も前から国のものづくりと貿易、生産性をめぐる議論が繰り返されてきたことがわかります。よく経済学の講義で紹介されるのが、ワインや毛織物をどの国で製造すれば、最も効率よく、利益を最大化できるのかという分析のエピソードです。

こうした分析は現代の貿易交渉にも通じるものです。ただ、自動車を例にすれば、各国に有力メーカーがあります。性能やデザイン、技術革新、市場ニーズなど様々な条件が加わり、特定の国に生産を集中できるわけではありません。

直面する「負担の分担」をどう解決するか

ここでは具体的な解説は省きますが、経済学の入門編テキストでも「絶対優位」「比較優位」といったキーワードで紹介される経済理論の解説がありますので、じっくり学んでみてはいかがでしょう。

いまから50年以上前、私が高校生だっ

決算発表後の記者会見に臨む東芝の綱川智社長。監査法人の「承認なし」となったことなどについて説明した（2017年4月11日、東京都港区の本社）＝共同通信社

たころ、日本は高度経済成長の道をひた走っていました。東京五輪が開催され、大阪万博を控えて、若者たちが将来の夢を描けた時代でもあったのです。

そんな時代でしたが、私は「資源のない日本が豊かな国になるにはどうすればよいのか」と考え、経済学部を志しました。子どものころ身近な場所で、満足に食事ができない人たちなど豊かさに取り残された「貧困」を見ていたからです。学校の成績が優秀でも進学を諦めなければならない同級生がいました。

日本はいま、世界にも類のないスピードで人口減少社会へと突入してしまいました。日本が抱える財政赤字や労働力不足などの問題を解決していく上でも、限りある予算と人材をどのように有効に配分していくのかという視点が欠かせません。

戦後、日本は経済成長の豊かさを分かち合ってきましたが、これからは「負担を分担し、痛みを分かち合う」という覚悟が避けられないでしょう。その解決への道筋をつけるには、若いあなたたちの柔軟なアイデアも必要なのです。

国際情勢が損得に直結

よく「経済のグローバル化」と呼ばれることがありますが、学生のあなたはどの

Professor's Memo

石油の寿命は40年？

私が子どものころ、「石油はあと40年間で枯渇する」という話を聞きました。NHKの記者になってからも、しばしば「石油の寿命は40年」と耳にしていた記憶がありました。あれから40年以上が過ぎましたが、なぜか石油はなくなってはいません。

いわゆる原油（石油）の埋蔵量というのは、時代ごとの平均的な原油価格と採掘コストを参考に、どれだけ原油を掘り出せるか試算したものと理解しています。つまり、埋蔵量は経済情勢や技術革新によって大きく変わるものなのですね。

最近は、北米地域などでシェールオイルと呼ばれる新エネルギーが採掘されています。その結果、世界最大の産油国の座はサウジアラビアからアメリカへと移りました。サウジは原油などエネルギー輸出だけに依存しない国づくりを始めています。地球環境問題とも絡んで、世界のエネルギー市場には大きな変革の波が押し寄せています。

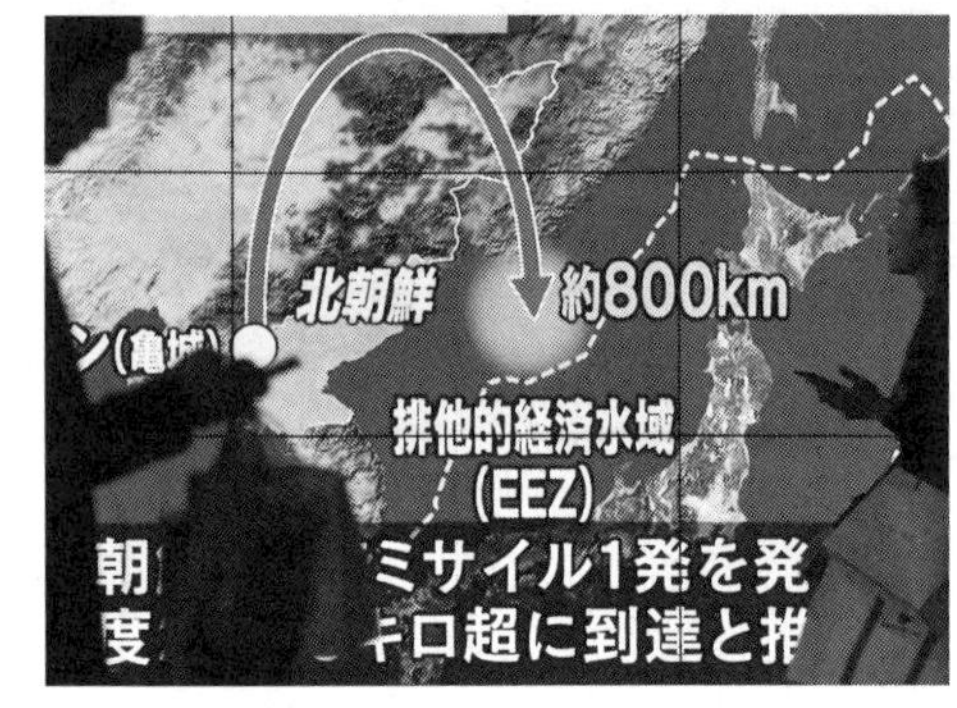

緊迫する国際情勢が経済に瞬時に影響を及ぼす時代に（北朝鮮のミサイル発射を報じる街頭テレビ。（2017年5月14日、東京都新宿区）＝共同通信社

ような現象を思い浮かべるでしょうか。基本的な経済の動きや仕組みを理解しておくと、思わぬリスクにも備えることができるかもしれません。一緒に考えてみましょう。

２０１７年４月上旬、アメリカ軍がシリアの軍事施設を標的に巡航ミサイルを撃ち込みました。アサド政権による空爆で「化学兵器」が使われ、子どもを含む民間人に多くの犠牲者が出たと断定したのです。オバマ前政権と異なる外交政策の大転換として、世界に衝撃が走りました。

この重大ニュースの直後には、「円高・ドル安」「日経平均株価が下落」という経済記事が駆けめぐっていたことを覚えていますか。これまでは、「有事のドル買い」

という現象が一般的でしたから、個人的にはこれらのニュースを見ていて意外な印象を持ったのです。

この際、アメリカの為替政策や為替水準など複雑な要因は除きましょう。基本的なシナリオの一つとしては、金融市場に関わる国内外の人々がドルやユーロに比べて相対的には安全資産として位置づけられている円を買い、ドルを売ったと考えられます。

そして、このまま円高が進んでしまったら、日本の自動車メーカーなど輸出産業の業績が悪くなるだろうという悲観的なシナリオを即座に描き、株価が下がる前に企業の株を売った人々が多かったのではないかと考えられます。

このように為替や株式の取引などで「損か、得か」を真っ先に考えることは、まさに人間の心理を読むことにもつながるでしょう。その意味では経済学は、人間の損得の判断を考える学問といえるかもしれません。

データや国際情勢から、リスクを先読みする

こうした判断を「リスクの回避」といいます。つまり金融機関などは顧客から預かった膨大な資金を運用して利益を上げるため、通貨や株式など様々な資産に替えて所有しています。

こんなニュース映像を見た記憶はありませんか。金融機関の担当者が、為替や株式の相場水準をモニター画面で確認し、電話で指示を出しているような光景です。彼らは相場水準が上下し、資産が目減りしないように、刻々と変化するデータや国際情勢からリスクを先読みしようとしているのです。

これがまさに「経済のグローバル化」と呼ばれる象徴的な事例です。第2次世界大戦直後からアメリカとソ連が鋭く対立し、資本主義と社会主義に世界を二分してきた東西冷戦が、20世紀末に終結しました。やがて両陣営の垣根が低くなり、輸出入や人の往来が活発になりました。IT（情報技術）の進歩も加わり、お金や情報が瞬時に世界を駆けめぐるようになったのです。

現代では資本主義国の間ですら利害調整が難しくなっています。環太平洋経済連携協定（ＴＰＰ）では、旗振り役だったはずのアメリカが新大統領の就任とともに離脱を決めてしまいました。また保護主義が台頭するなど、世界経済は転換点を迎えつつあります。

時代ごとの処方箋

世界史という大きな枠組みの中で振り返れば、国家や国民は戦争や貧困という深刻なリスクと向かい合ってきました。経済学者らは、主義や価値観は異なっても、豊かで平和な暮らしを実現するために、それぞれの時代が求める理論を築いてきたのです。

たとえば『国富論』で有名な古典派経済学のアダム・スミス。資本主義の非情さを分析したカール・マルクス。世界恐慌からの立て直しに尽力したＪ・Ｍ・ケインズなど、著名な経済学者らを思い浮かべるでしょう。彼らは、その時々の解決策としての〝処方箋〟を書いていたのです。

前述しましたが、日本は世界でも類のない人口減少社会を迎えています。財政赤字や労働力不足の問題をどう解決していくのか、あらゆる政策を総動員して独自に答えを出していかねばなりません。

よく経済学には何ができるのかという指摘を受けることがあります。経済学の役割は、時代が直面するリスクを解決するための処方箋を導き出すことではないかと考えています。そして、その処方箋を実行するのが「政治」の決断です。その決断を託す政治家を選ぶのは私たちの責任です。「18歳以上選挙権」が始まり、2022年には、18歳を成人とする新しい民法が施行されることになりました。その責任は若者たちにも関わってくる問題です。

いま、朝鮮半島や中東など国際情勢が一段と緊迫しています。国際情勢をめぐるニュースが、ビジネスだけでなく、私たちの暮らしにどんな影響を及ぼすのか。経済という視点から世界を眺めることができれば、経済学はより身近な存在になってくるはずです。

教え子との読書会 1

課題『9プリンシプルズ』

伊藤穰一、ジェフ・ハウ著、山形浩生訳、早川書房、2017年

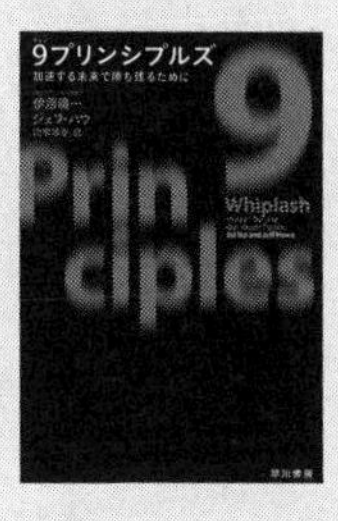

1980年代の日経新聞の広告に、「諸君。学校出たら、勉強しよう。」という強烈な文章がありました。電車の中で見て、思わず「うまい！」と心の中で快哉を叫んだものです。

ここには、学生時代にはあまり勉強していなかったんでしょ、という皮肉が感じられます。多くの学生や社会人が、思わずうなずいたのではないでしょうか。

学生時代の勉強不足を痛感

私も大学を出た後、自分が学生時代にいかに勉強をしていなかったかを痛感。その後ずっと、自分なりに勉強してきました。社会に出てからこそが、勉強の正念場なのです。

そんな気持ちを東京工業大学の卒業生たちにも持ち続けてもらおうと、2017年の夏から、私の教え子たちを中心にして、読書会を始めました。

そもそもは、以前に東工大の学生たちと読書会を開いたところ、参加した学生たちが、「卒業しても読書会に参加したいです」と言い出したことに始まります。お盆で東京の都心がガラガラになった日に、貸会議室を借りて読書会を開きました。選んだのは、米MIT（マサチューセッツ工科大学）メディアラボの伊藤穰一所長（当時）とジェフ・ハウ客員研究員の共著『**9プリンシプルズ**』（早川書房）です。目まぐるしく変化する現代にあって、将来を見通すには、9つの原理を知る必要がある、という内容です。

読書会の運営方法は、参加者に任せました。参加者は私以外に９人。私の講義を受けたことのない卒業生も加わりました。

東工大の大学院に進んだ者、他大学の大学院生になった者、メディアや中央官庁に就職した者、私のティーチングアシスタントを務め、地方自治体に行った元大学院生など進路はいろいろですが、そこはさすが〝東工大生〟。９人を３人ずつ３グループに分け、各グループが各章を分担して議論。グループの代表者が議論の内容を発表すると、司会がホワイトボードに項目を書き出していく、というシステマチックな運営です。

筆者（右）と東工大の教え子らが参加した読書会の風景（2017年8月）＝東工大提供

私の学生時代は、経済学や哲学の本を題

材に、文章を1行1行読んでは意味について解釈し、それぞれの解釈に基づいて議論する、という方法をとっていました。わずか1杯のコーヒーで長時間粘ったものです。

当時は学園紛争（人によっては学園闘争）の真っ最中。ストライキで授業のない日々でしたから、読書会の時間はたっぷりありました。それぞれの勝手な解釈を基に口角泡を飛ばすような議論をしたものです。

議論はときに感情的になり、今回のように、冷静に合理的に進めていくというものではありませんでした。うーむ、いかにも理系だなあと感心しました。

自分の能力に負荷をかける

そうそう、「肝心の今回の本の中身はどうだったか？」、ですか。参加者のひとりは、「この本は要するにMITメディアラボの宣伝ですね」という辛辣（しんらつ）な感想を述べていました。参加者の中には、メディアラボを実際に見た者も多く、イメージを抱きやすかったのでしょう。

その一方で、読書会終了後、「内容が難しかったです」と吐露する参加者もいました。大学時代、読解力を要する難解な書籍に取り組む経験があまりなかったのでしょう。私は思わず、「だからこそ、こういう本を読んで、自分の能力に負荷をかけることが必要なんだ」と答えました。自らに負荷をかける。社会に出て仕事の合間に難解な本を読むのは困難が伴うけれど、自分に負荷をかけ続けることで、自己の成長につなげるのです。

さて、次回の読書会に備えてどんな本を選ぼうか。参加者の中からは、「次は文学書を選びたいです」なんて声も出ていましたが。

社会へ出ても学生時代の絆を大切にしている（筆者と読書会参加者、2017年8月）＝東工大提供

第3部 世界を読む――未来を見通す力を養う

世界を東西に分断した冷戦の終結からおよそ30年。
ヒト、モノ、マネーが地球規模で移動する「グローバル化」が加速しています。
そのうねりは国家や民族の新たな対立を生み、再び世界を引き裂こうとしています。
危機を繰り返さない知恵が問われています。

2018年平昌オリンピック、スピードスケート女子500m決勝後の
小平奈緒選手と韓国の李相花選手（2018年2月18日）＝ZUMA Press／アフロ

第3部 CHAPTER 13

君たちが築く明日の世界

――グローバル社会を生きる

「グローバル社会を生きる」と題し、高校生や大学生に講演をしました。民族や宗教の対立を乗り越えるには、互いの異なる文化を理解し、共存の道を探らねばなりません。知恵を出し合い、明日の世界を築くのは、若い君たちに託されています。

注目されるリベラルアーツ教育

いま、日本の大学では、学生の教養や考える力を重んじる「リベラルアーツ教育」が注目されています。そもそも第2次世界大戦後、日本の将来を考える学生を育てるために、「教養」を重視する取り組みが広がりました。

ところが高度成長期を迎えたころ、「教養」よりも社会に出てすぐ役に立つ「専門教育」に対する産業界の要望が大きくなりました。

その流れを大きく変えるきっかけの一つが、1995年の地下鉄サリン事件に象徴される「オウム真理教事件」でした。

理系エリートたちがいとも簡単に、その頭脳や知識を大量殺人に役立ててしまったのです。「高度な専門知識一辺倒の教育は間違いだったのでは」「なぜ学ぶのか改めて問い直す必要がある」。そんな、問題意識が大学教育のあり方を見つめ直すきっかけになったのです。

私は大学でジャーナリストとしての視点から国際関係や現代史を講義しています。

ニュースを題材に、背景にある歴史を振り返り、先人の知恵、民族や宗教を知り、多様性を受け入れる中で未来を見通す力を養ってほしいと考えています。これも若者に必要な「教養」の一つだからです。

２０１７年12月、アメリカのトランプ大統領によるエルサレムのイスラエル〝首都〟宣言が、世界に波紋を広げました。エルサレムはユダヤ教、キリスト教、イスラム教という3つの宗教の「聖地」ですが、戦後の世界秩序を壊し、新たな紛争の火種を抱え込んでしまったといえるでしょう。

トランプ米政権への抗議デモで叫ぶパレスチナ人ら（2017年12月7日、エルサレム旧市街）＝ロイター／共同

グローバル化がもたらした「自国第一主義」

宗教や歴史に対する「教養」が少しでもあれば、この宣言がいかに危険なものであるかわかるはず。歴代の大統領も、あえて「あいまいさ」を残すことによって、微妙な国際関係に配慮してきたのです。

この決定には、トランプ氏が直面する国内事情があることは前述しました。自らの大統領再選への思惑です。この問題は大統領選でも公約として掲げてきました。娘婿のクシュナー氏はユダヤ人で、娘のイバンカ氏もユダヤ教に改宗しています。トランプ氏の再選にはアメリカ国内で影響力の大きいユダヤ系人脈の支援が欠かせないのです。

この宣言の背景を少し大きな視点で捉えてみます。そこには「アメリカ・ファースト（米国第一主義）」に象徴される、世界には関心を持たないという自国中心の考え方があります。アメリカは経済力が衰え、巨額の財政赤字を抱え、強大な軍事力を背景にしつつも世界に対する影響力の低下という現実に直面しているからです。

これらは世界のグローバル化がもたらした反作用として意義づけられます。規制緩和によって人、モノ、カネ、情報の移動が簡単になり、ＩＴ（情報技術）の進歩も世界規模で広がる変化の流れを加速させました。

欧州にも広がる、グローバル化の反作用

その経緯を歴史的にたどれば、20世紀の終わり、東西冷戦の終結、旧ソ連（ソビエト社会主義共和国連邦）の崩壊にまで遡れます。第２次大戦後の大きな枠組みが崩れ去ったのです。その結果、米ソの強大な軍事力に抑え込まれてきた「民族」と「宗教」が大きな力を持ち始めました。

グローバル化の反作用は、中東情勢の混乱や移民の大量流入に直面する欧州にも広がっています。イギリスはＥＵ（欧州連合）からの離脱を決断しました。フランス大統領選では、移民排斥を唱える極右勢力が台頭しました。ＥＵを主導するドイツでも、移民問題をめぐってメルケル首相は難しい政権運営を迫られました。そして、現在の任期限りで首相を退く意向であることを表明したのです。

第2次大戦後、イスラエルとパレスチナ、北アイルランドなど、宗教や土地をめぐる多くの対立が続いてきました。ただ、現地に行くと、地域によっては権利を明確に線引きせずに、互いに共存の道を模索しようとする知恵が働いていたことも事実です。

誰もグローバル化の流れを止めることはできないでしょう。「いま、世界で何が起きているのか」を知り、「世界がどう動こうとしているのか」を見極め、「日本はどの道を進めばよいのか」判断しなければなりません。

高校生や大学生に「教養を深めてほしい」と講演をする筆者（2017年12月9日、東京都豊島区の立教大池袋キャンパス）

その日本の針路は、若者たちに託されています。「グローバル社会を生きる」とは、単に英語を学び、留学してアメリカを知るだけではすまないのです。決して日本人の英語能力は劣っているわけではありません。異なる民族、宗教を越えて人間関係を築くためにも、英語で話せる文化・芸術分野の教養を深めてください。いま、高校や大学で学ぶことの大切さを知ってほしいと思います。

この講演では、会場で聴講する若者たちから、国際情勢をめぐる素朴な疑問が寄せられました。あなたも、ぜひ一緒に考えてみてください。

質問　トランプ大統領がエルサレムをイスラエルの首都と認め、大使館を移転すると宣言しました。イスラエルとのビジネスなどの関係はどうなりますか。

池上　アメリカとイスラエルの間には、貿易や援助などを通じて密接な関係があります。軍事的な結びつきも深いのです。アメリカには多くのユダヤ人が住んでいて、金融界などで大きな影響力を持っています。今回のトランプ大統領の決定は、イスラエルのこれまでの主張を認めたもので、両国の関係が実質的に大きく変わることはないでしょう。

その一方で、アメリカとの関係が深いサウジアラビアや関係改善に動いていたイランなど周辺諸国は猛反発しています。この地域の緊張が高まることは避けられないでしょう。

対立を避ける知恵の大切さ

質問　エルサレムを信じている宗教ごとに人々が集まって、まとまる地域にすることはできないのでしょうか。EUのように戦争を無くすことができるのではないでしょうか。

池上　パレスチナは第2次世界大戦前、イギリスの委任統治下にありました。大戦後には、国連に任され、イスラエルとパレスチナによる分割統治が決議されたのです。ただ、3つの宗教の聖地であるエルサレムは紛争が懸念され、国際管理下に置かれました。対立を避けようとした知恵でした。あなたのような思いを実現しようとした動きもありました。

ところが、中東戦争が繰り返され、イスラエルの影響力が増していったのです。

ただ、エルサレムの旧市街地では、神殿の丘でイスラム教徒による自主管理が認められるなどユダヤ教徒とイスラム教徒によるすみ分けの知恵が働いてきたのです。

質問 日本は今後、尖閣諸島や北方領土などの問題をどう解決して

2017年5月、現職米大統領として初めてエルサレム旧市街のユダヤ教の聖地「嘆きの壁」を訪問したトランプ大統領＝AP／アフロ

いくべきでしょう。

池上　どれも根本的な解決が難しい問題ばかりですね。そもそもの対立の背景には、ガス田のような資源があったり、よい漁場があったり、経済的な利益をめぐる争い

Professor's Memo

日本はテロ先進国？

こんな説明をすると不謹慎かもしれませんが、戦後の事件史を振り返ると、日本はテロ活動の先進国と位置づけられるのではないでしょうか。古くは1970年の日航機「よど号」ハイジャック事件。多くの乗客を人質に国家に要求を突きつけるという新手の手法でした。イスラエルのテルアビブ空港では日本赤軍が関わった銃乱射事件。東京では三菱重工業ビルの爆破事件もありました。1995年にはオウム真理教による地下鉄サリン事件。猛毒のサリンを実際に使った世界初のテロ事件でした。不幸にも通勤時に凶悪事件に巻き込まれ、いまも病気やケガの後遺症に苦しんでいる人々がたくさんいます。

残念ながら、いずれの事件にも日本の若者たちが関わっていました。高学歴で頭脳明晰（めいせき）、行動力もある若者たちでした。主義主張はあるにせよ、罪もない人々を苦しめることがあってはならないのです。学ぶことの意味を改めて考えてみてください。

が大きな要因になっているようです。

北方領土問題では、日本とロシアによる共同開発など経済的な結びつきを強めていこうという機運が高まっています。解決までには時間がかかるかもしれませんが、手を結べる一致点を増やし、相互理解を深めていくことが大切ではないでしょうか。

まず学業に専念し、教養の基礎を学んでほしい

質問　トランプ大統領は自らの意見を伝えるために交流サイト（ＳＮＳ）を多用しています。これは感情的な理由からなのですか、それとも政治的な意向が働いているのでしょうか。

池上　両方あると思います。トランプ大統領は、テレビや新聞など既存のマスメディアを信用していません。それは自分が言った通りに報じないからです。

それに比べ、ＳＮＳは考えている言葉をそのまま流すことができ、都合がよいのです。ただ、メッセージが個人的感情によるものか、政治的な意向が働いているの

か、受け手がしっかり見極めていく必要があります。

質問　池上先生のように多くのテーマを考え、話せるようになるには、世界の動きに対してどのようにアンテナを張るべきでしょうか。

池上　君は高校生だね。それであれば、いまは学業に専念して、知識を身につける努力をしてください。余力があれば、教養の基礎になるホメロスやシェークスピアのような古典をしっかり

講演で生徒らの質問に答える筆者（2017年12月9日、東京都豊島区の立教大池袋キャンパス）

学んでおくことです。きっと大人になってから、学んだことが花開きます。国際情勢などに幅広くアンテナを張って、関心を高めていくのは、大人になってからで十分です。

歴史を学び、人間の愚かさや賢さについて考え直す

講演では、世界のグローバル化が進展することによって、不利益を被る人々や国々があるという話をしました。これはグローバル化という作用が引き起こす反作用といえる現象です。トランプ大統領が決断する政策の多くが、アメリカにとって都合の悪い不利益を解消する狙いがあるのです。

今後、グローバル化がもたらす負の側面をどう改めていけばよいのか。いま、現代に生きる私たちの知恵が試されているといえるでしょう。民族・宗教の対立はいつの時代にも必ず生まれます。それは歴史が物語っています。

歴史を知る大きな目的の一つは、国や人々の過去の判断、行動を知ることで、人間の愚かさや賢さについて考え直せることでしょう。まさに歴史に学び、同じ失敗

を繰り返さないようにするためなのです。

これからは言語や文化、価値観の異なる他者を知り、新たな共存関係を築いていかねばなりません。明日の世界と日本は、若い君たちに託されているのです。その力を蓄えるためにも、教養を身につけ、自分の頭で考え抜く力を鍛える「リベラルアーツ教育」の役割が重みを増しています。

第3部 CHAPTER 14

平和の祭典

――世代で異なるオリンピックへの思い

私が東京工業大学で教えている講義には、韓国からの留学生もいます。以前、毎回の講義が終わると、熱心に質問に来ていた留学生は、卒業後、韓国に戻って軍隊に入りました。韓国では徴兵制度があるからです。朝鮮半島の情勢が緊迫化すると、彼のことを思い出してしまいます。

戦争の当事者同士が合同チームを結成

1950年に勃発した朝鮮戦争は現在休戦中。53年に休戦協定が結ばれたまま、いまも終わっていません。戦争の当事者同士が、オリンピックでは合同チームを結成する。不思議なことですが、そもそもオリンピックは平和の祭典として始まったことを考えれば、望ましいことではあります。

とはいえ、2018年の平昌冬季オリンピックでは、北朝鮮も韓国も政治利用の意図が露骨でした。

北朝鮮にしてみれば、オリンピックとパラリンピックに選手団を派遣することで、

対戦を終え、記念写真に納まる韓国と北朝鮮の合同チーム「コリア」（2018年2月10日、韓国・江陵）＝共同通信社

この間、緊張緩和を演出。オリンピック開幕直後には三池淵(サムジヨン)管弦楽団を送りこんで演奏会を開き、南北の融和ムードを高めることにも一役買いました。

さらに、北朝鮮の金正恩(キム・ジョンウン)委員長の妹の金与正(キム・ヨジョン)朝鮮労働党副部長がオリンピック開会式に合わせて韓国を訪れました。第2次世界大戦後、北朝鮮で権力を世襲してきた金一族が韓国を公式訪問するのは初めてのこと。

韓国の文在寅(ムン・ジェイン)大統領には訪朝を要請し、韓国の人々の世論を取り込んで、北朝鮮包囲網の連携で結束する日米韓を切り崩そうとしています。

アメリカが北朝鮮に対して脅しをかけることを防ぎながら、核ミサイル開発を急ぐことができるからです。時間稼ぎです。

文大統領にしてみても、朝鮮半島の緊張緩和を実現すれば自分の実績になります。

年代によって大きく異なる北朝鮮への思い

オリンピック開催後、南北首脳会談が開かれることになりました。大きな一歩ともいえますが、文大統領の強引な南北融和策は、韓国の若者たちの反発を買うという予想外の展開になりました。

韓国の人たちの北朝鮮への思いは、年代によって大きく異なります。60代以上の人たちには、戦争の記憶が生々しく、北朝鮮軍による残虐行為に対する反発が根強くあります。

一方、それより下の世代には、それほどの憎しみはなく、同じ民族なのだから仲良くすればいいではないかという思いがあります。

文大統領は、こうした人たちの支持を得て選挙で当選しました。

しかし、ここに文大統領の思い違いがあったのではないでしょうか。

私は韓国の大統領選挙を間近で取材しましたが、文大統領を熱狂的に支持した若者たちは、文大統領の「若者の雇用を増やす」という公約に魅力を感じていました。若者の失業率が高いからです。北朝鮮との関係改善という方針を支持したわけではなかったのです。

韓国の若者にとって北朝鮮は全く別の国

文大統領が、女子アイスホッケーで南北合同チームを結成するという方針は、韓国の若者たちから反発を受けました。「合同チームを結成すれば、韓国側に代表になれない選手が出る。それはかわいそうだ」という反応でした。

また、入場行進で朝鮮半島を描いた統一旗を使用する方針も若者たちから反発を受けました。それぞれの国旗を掲げて行進すればい

南北当局間会談、北朝鮮の祖国平和統一委員会の李善権委員長（中央）（2018年1月9日、板門店）＝ロイター／共同

い、というのです。

この反応は、私には意外なものでした。南北選手団が一緒に行進するのは平和の祭典にふさわしいと賛成する人たちが多いだろうと考えていたからです。

いまの若者にとって、北朝鮮は全く別の国。何も無理して一緒に行進しなくても、ということなのでしょう。

同じ民族が殺し合った朝鮮戦争。だからこそ憎しみが強い高齢世代。戦争を知らないので反感が薄い中堅世代。全く異質の国という意識しかない若者世代。朝鮮戦争が休戦になってから65年も経つと、戦争に対する意識にも断絶が生まれるものなのですね。

第3部 CHAPTER 15

〝自国〟第一主義が世界を分断

——トランプ米大統領就任を考える

アメリカのドナルド・トランプ大統領が就任してから早くも3年がたちます。2016年に行われた大統領選挙の期間中、トランプ氏の破天荒な言動は物議をかもしましたが、大統領になれば収まるのではないかと見ていた人も多かったことでしょう。

変わらぬ大統領の言動

トランプ氏は、大統領になってからも相変わらずの言動が続いています。

2018年1月11日には移民に関する超党派の上院議員たちとの会議で、ハイチやアフリカ諸国のような「肥だめのような国」からの移民を受け入れなければいけないのかと発言したと報じられました。

英語ではshithole。日経新聞は「肥だめ」と正確に訳しましたが、「便所のような」と訳した報道機関もありました。アメリカのメディアは、通常こうした下品な表現は使わないのですが、大統領の発言として、そのまま報じたところもあれば、伏せ字で報じたところもありました。

これに対して、トランプ大統領は、さっそく「そんな言葉を使っていない」、フェイク（偽）ニュースだと反論しましたが、出席していた民主党議員は「確かに発言した」と語りました。トランプ大統領を支えるニールセン国土安全保障長官は「正確な表現は思い出せない」と弁明しています（日本経済新聞2018年1月16日付朝刊）。

つまり否定していないのですね。

この発言に対し、アフリカ連合が抗議声明を出すなど世界各地で反発が広がっています。

トランプ大統領の発言が問題になると、大統領本人が「フェイクニュースだ」と否定する。就任以来、何回繰り返されたことでしょうか。

政権内幕本はベストセラーに

とりわけ話題となったニュースは、トランプ政権の内幕を暴いた書籍『炎と怒り』でしょう。ジャーナリストのマイケル・ウォルフ氏が1年半にわたり、関係者200人

米ニューヨークでトランプ大統領の人種差別的姿勢に抗議するハイチ出身者ら（2018年1月15日）＝ゲッティ／共同

以上への取材に基づいて執筆したというものです。

この中では、トランプ氏は選挙で当選するとは思っていなかったので、当選が報じられると幽霊を見たような顔をした、メラニア夫人は喜びではない涙を流した等々、驚くべきエピソードが出てきます。

特にトランプ大統領を支えてきたスティーブ・バノン前首席戦略官・上級顧問が、トランプ大統領の家族に関して辛辣な発言をしていることが衝撃を与えました。

バノン氏の発言についてトランプ大統領が激怒してツイッターで非難すると、バノン氏は発言の一部に間違いがあると弁解しましたが、発言全体は否定しませんでした。

書店に並んだトランプ政権の暴露本『炎と怒り』（早川書房）
（2018年2月23日、三省堂書店神保町本店）＝共同通信社

あれだけトランプ大統領を支えてきた人物の発言なのだから事実だろうと受け止められ、本はベストセラーになりました。

ただし、アメリカのメディアの反応は二分されています。トランプ大統領に批判的なテレビのCNNは本の内容を積極的に報じる一方、大統領寄りのFOXニュースは、逆にウォルフ氏を批判的に報じています。

このようにトランプ政権誕生後、アメリカ社会は二分されました。大統領の差別的な言動を受け、白人至上主義の運動が活発になる一方で、それを批判する運動もあり、両者の衝突も起きています。

世界を分断、アメリカの存在感も希薄に

事情はメディアも同じ。トランプ大統領を批判的に報じるメディアが多数ですが、擁護するメディアも存在します。大統領支持率は低迷していますが、共和党支持者に限ってみれば、80％前後の支持を得ています。

アメリカ国民には意外に支持している人もいるのです。

トランプ政権は世界規模でも分裂を引き起こしました。イスラエルの首都をエルサレムだと宣言し、アメリカ大使館を移したことに対し、批判する国と同調する国に分かれたのです。トランプ大統領は批判する国への援助の停止をほのめかしています。

どこの国の指導者も、まずは自国を第一に考えるのは当然ですが、トランプ大統領の「アメリカ・ファースト」路線は、世界を分断し、アメリカの存在感を希薄にしつつあります。

このコラムをまとめ直しているとき、「米朝首脳会談」が開かれるというニュースが飛び込んできました。果たして、リーダーシップを発揮できるのでしょうか。

一方、政権内部は国務長官や大統領補佐官などが相次ぎ解任され、〝イエスマン〟で固められているようにみえます。果たして重大な交渉を乗り切れるのか疑問です。

大統領の1期目も残りわずかですが、いまの様子では中途退陣はありそうもない勢いです。世界はこれからどう変わるのか。メディアにも観察力と分析力、それに予測能力が問われます。

第3部 CHAPTER 16

トランプ氏、膨らむ2期目への野心
――パリ協定離脱とアメリカ

アメリカのトランプ大統領が2017年6月初め、地球温暖化対策の国際的な枠組みである「パリ協定」からの離脱を表明しました。この決断から透けて見える大統領の思惑やアメリカが直面する課題について考えます。

政権内部での対立

パリ協定離脱の決断をめぐっては、トランプ政権内部の確執が取り沙汰されました。というのも、この方針は側近の一人で辞任した、バノン首席戦略官・上級顧問が唱えていたものでした。これに対し娘婿のクシュナー上級顧問はパリ協定にとどまることを主張していたからです。

トランプ大統領の就任以来、２人の対立がたびたび報じられました。２０１７年４月のシリア攻撃に際しては、「シリア問題はアメリカには関係ない」などの理由でバノン氏は反対。クシュナー氏は妻のイバンカさんと共に「子どもたちを救いたい」と賛成したといわれています。また、バノン氏が突如、国家安全保障会議（ＮＳＣ）の常任メンバーを外れたのも、背景には政権内部の意見対立や勢力争いがあったとみられています。

バノン氏は大統領選挙の期間中、右派系メディアのトップから選挙参謀として加わった異色の側近でした。アメリカの利益を最優先する「アメリカ・ファースト」

ホワイトハウス前でパリ協定離脱に抗議する市民ら（2017年6月1日）＝共同通信社

が持論です。トランプ氏の大統領2期目の再選を考えるキーマンと見られていました。ところが、その後にトランプ氏の親族や軍関係者によって固められた政権内部の権力闘争に敗れ、政権中枢から去ることになりました。

パリ協定離脱は、労働者に直接響くメッセージ

そもそもアメリカの共和党は石油や石炭などエネルギー産業と深い関わりがあります。温暖化ガスの削減目標を課す「パリ協定」

は、エネルギー産業が被るダメージが大きくなります。とりわけ厳しい経営環境にある石炭産業を守る政策として、協定からの離脱は労働者に直接響くメッセージなのです。

実際、トランプ氏らは、すでに2期目への布石を打ってきました。たとえば有力な石炭産地には、オハイオ州のように大統領選の激戦州が含まれます。早くもこうした激戦州への遊説にも力を入れ始めています。選挙期間中のスローガン「ＭＡＫＥ ＡＭＥＲＩＣＡ ＧＲＥＡＴ ＡＧＡＩＮ（アメリカを再び偉大にする）」に続き、「ＫＥＥＰ ＡＭＥＲＩＣＡ ＧＲＥＡＴ（アメリカを偉大なままにする）」を次のスローガンに選び、すでに商標登録を申請したとも報じられました。

２０１８年には米連邦議会の上院・下院の中間選挙がありました。共和党は上院で民主党よりも多くの議席数を確保しましたが、下院は民主党が多数派となりました。上下両院で最大議席を持つ政党が異なるいわゆる「ねじれ現象」が起きています。次回選挙でこのねじれを解消するためには、有権者にうけのいい、雇用を最優先する内向き政策を続けていく必要があります。議会対策は大統領2期目の実現にも欠かせない課題です。

自分の周囲の人を3分類して見定める

というのも、トランプ大統領周辺とロシアとの不透明な関係をめぐる疑惑「ロシアゲート」ではロシアとの共謀を立証できなかったとして捜査が終わりました。しかし、「無罪」と断定されたわけではありません。その後も、大統領周辺では様々な疑惑が取りざたされています。また、移民の入国制限に関する大統領令を出し、医療保険制度改革などオバマ前政権の政策を否定するなかで、州政府や国民との摩擦がさらに深刻になるかもしれません。政権の足元をできるだけ固めておきたいという思惑があるのです。

トランプ氏は、自分の周囲にいる人々を大きく3つに分類して見定めているように思えます。それは「家族」「使用人」「敵」です。この視点に立てば、米連邦捜査局（FBI）のコミー前長官は「使用人」から「敵」になってしまったということでしょうか。

ずいぶんとシンプルでわかりやすい人間関係の軸ともいえます。本来、大統領は複雑な国際情勢や山積する国内問題に対処するために、有能な複数のブレーンを使いこなさなくてはならないはずなのですが。

視点を変えれば、地球温暖化対策の国際的な枠組み「パリ協定」は、アメリカの新しい大統領が世界でリーダーシップを発揮する好機でした。ところが、ここでも自国の利益を重んじる「アメリカ・ファースト」を徹底したのです。

科学予算を大幅削減

残念ながらアメリカ国内では〝科学〟を認めないような動きも出始めています。

２０１７年５月、トランプ政権が初めて提出した２０１８会計年度（17年10月～18年9月）の予算教書では、地球温暖化対策や科学研究のための予算の大幅削減を提案していたのです。米環境保護局（ＥＰＡ）は前年度比で３割削減を示される厳しいものでした。科学軽視とも受け取られる方針転換です。

予算ばかりではありません。新政権の発足直後から、地球温暖化に対応する関連省庁の研究成果の発表は事実上ストップした状態です。ＥＰＡによる研究成果の発表には、しかるべきチェックが必要とされています。米エネルギー省の場合、地球温暖化対策に関わった職員や研究者のリストを提出するよう指示を受けたとまで報じられたのです。

前述しましたが、アメリカの共和党政権というのは、そもそも温暖化ガスの削減を柱にした地球環境対策にあまり関心がありません。有力な支持層である石油産業や石炭産業などとの結びつきが強く、温暖化ガスの削減は企業経営への大きなダメージにつながることを懸念しているからです。

「議定書」と「協定」の違い

たとえば京都議定書とパリ協定の名称の違いを考えたことがありますか。そもそも「議定書」を成立させるには参加国・地域の議会承認による批准が必要ですが、「協定」の場合はそこまで厳格な手続きは求めていません。

先進国にのみ温暖化ガスの排出削減を義務づけた京都議定書の場合、後にアメリカが脱退しました。政権が民主党から共和党に変わったからです。途中、日本も継

G20首脳会合に臨む中国の習近平国家主席（左）とトランプ米大統領（2017年7月7日ドイツ・ハンブルク）＝共同通信社

続に反対して離脱しました。パリ協定ではこうした過去の反省も踏まえ、アメリカが取り組みやすい法的拘束力を持たない削減目標という枠組みになったのです。

つまり、トランプ大統領の決断自体は驚くべきものではありません。共和党を支持する人々には、本当に地球の温暖化が進んでいるのか懐疑的な見方も少なくないのです。また、信仰上の理由から、ダーウィンの「進化論」を認めない人々も大勢います。そもそも〝科学〟に対するスタンスが異なるのです。

地球温暖化はビジネスチャンス

地球温暖化問題の参考になる研究は19世紀に遡ることができます。アイルランドの科学者、ジョン・ティンダルは二酸化炭素が温室効果を生む可能性があることを示唆していました。20世紀、大気中に含まれる炭素の傾向を分析したオーストリア出身の科学者、ハンズ・スースによる研究も有名です。

現代では多くの国や地域が共通の課題として環境の危機を認識するようになりました。象徴的な事例として、南の島々が海水面の急激な上昇によって、水没の危機に瀕(ひん)しているというニュースを見たことがあるでしょう。パリ協定では先進国、新興国、発展途上国が「共通だが差異のある責任」を共有するまでに至ったのです。

東西冷戦の終結後にソ連が崩壊し、アメリカはIT（情報技術）、宇宙、科学、医学などの分野で世界をけん引してきました。これからも、この優位性を維持できるでしょうか。

ただ、アメリカの強さの源泉は才能あふれる新しい経営者群にあるともいえます。

多くの企業群が地球温暖化への対策をビジネスチャンスと捉えています。代表例が風力発電などの再生エネルギーの分野です。さらに電気自動車（ＥＶ）やバッテリー技術なども期待されている分野です。

国際情勢にも影響、企業の競争軸も刻々と変化

アメリカの「パリ協定」からの離脱によって、国際情勢にも影響が出そうです。当初、中国は地球温暖化対策にはあまり乗り気ではありませんでしたが、アメリカに代わってリーダーシップを発揮しようとしています。ロシアも天然ガスビジネスを拡大するチャンスと捉えています。

日本企業にも大きなチャンスになるかもしれません。１９７０年代、日本は石油危機を乗り越え、アメリカの自動車市場で大きくシェアを伸ばしました。それは燃費に優れた高性能のエンジン技術を実用化できたからです。

国際情勢と同様に企業の競争軸も刻々と変化していきます。就職活動では、これからの世界の潮流を見極め、次の一手を打ち出せる企業を選び出すことも、冷静な

判断といえるでしょう。

トランプ大統領の決断と世界の動きは、今後も重要なポイントです。テレビや新聞、雑誌などのニュースや記事に注目しておくといいでしょう。

第3部 CHAPTER 17

トランプ流保護主義の危うさ

——歴史は繰り返すのか

経済学の学説史を学ぶときに必ず出てくる「重商主義」。政治学を学ぶときに登場する「ポピュリズム」。いずれも問題点がある、と学ぶのですが、具体例がないと問題点の理解が進みません。その点、アメリカのドナルド・トランプ大統領の政策は、実にわかりやすく、大学で講義をする上では格好の教材になります。

経済学講義の格好の教材に

2018年3月1日、トランプ大統領は、鉄鋼に25%、アルミニウムに10%の関税をそれぞれ課すと表明しました。8日には輸入制限の発動を命じる文書に署名したのです。日本や中国など一部の国々が対象となり、世界に混乱を広げています。

外国産品に一方的に高い関税を課すことは、世界貿易機関(WTO)参加国には禁じられています。ただし安全保障が理由であれば例外扱いができます。

今回の措置は、この安全保障を理由にしています。「鉄鋼とアルミの輸入が増え、国内産業が弱っている。国内メーカーが衰退したら、米軍の戦闘機や艦船の製造のための資材を調達するのに悪影響が出る恐れがある」というのです。

安全保障を理由にした輸入制限は、冷戦時代の1962年に制定された「通商拡大法」に基づくもので、発動されるのは82年以来のことですが、安全保障というのは、明らかに方便。要は国内産業を守ろうというものです。

トランプ大統領の念頭にあったのは、間近に迫った選挙でした。3月13日にペンシルベニア州で下院議員の補欠選挙を控えていたのです。トランプ大統領の与党の共和党議員がスキャンダルで辞任したために実施されたものです。

トランプ大統領としては、なんとしても共和党に議席を守らせたいところ。この選挙区は鉄鋼の街に近く、大勢の鉄鋼業関係者が住んでいます。「トランプ大統領は鉄鋼業を守ってくれる」と有権者に思ってほしいのです。

これぞ典型的なポピュリズムです。でも、政治家が有権者のために政策をつくることは、一般的に

鉄鋼とアルミニウムの輸入制限に関する文書に署名後、報道陣に示すトランプ米大統領（2018年3月8日、ワシントンのホワイトハウス）＝ロイター／共同

は当然のこと。しかし、一部の有権者の利益だけを考え、国全体や世界全体に悪影響を及ぼしては困ります。だから「ポピュリズムは危険」と非難されます。

アメリカの自動車メーカーは、軽くて耐久性の高い鉄鋼製品やアルミを輸入して部品に使っています。その材料が高関税で値上がりしたら、自動車の値段が上昇。アメリカの自動車産業は競争力を失います。鉄鋼とアルミ業界を守ることで自動車産業には大打撃です。近視眼的な一部業界保護の方針は、大きな悪影響をもたらすのです。

こうした中で、選挙結果は民主党候補が勝利し、共和党は議席を失いました。11月の連邦議会の中間選挙の前哨戦とも位置づけられていただけに、痛い敗北です。

世界各国、アメリカに報復関税を課す恐れ

アメリカが高関税を課す方針を打ち出したことに世界各国は猛反発。今度は世界各国がアメリカ製品を対象に報復関税をかけることになるでしょう。

たとえば欧州連合（ＥＵ）は、アメリカ共和党の有力政治家の選挙区で生産され

ドイツ西部デュイスブルクの製鋼所（2018年3月5日）＝ゲッティ／共同

る農産物を対象に高い関税をかけることを検討していると報じられました。

中国は、アメリカからの大豆の輸入を他国からに切り替え、それだけで、アメリカ農業には大打撃です。

こうした報復関税の応酬は、世界経済全体にとってマイナスであることは明らか。そもそも1929年のアメリカ株式市場の大暴落をきっかけに世界経済が収縮に向かったのは、各国が自国産業を守るために高い関税をかけたからです。

これが世界大恐慌を引き起こし、第2次世界大戦へと突き進むことになりました。その反省から戦後、自由貿易への取り組みが始まりました。その取り組みの歴史を一気にひっくり返す。これがトランプ大統領なのです。

これで大学の講義の材料には事欠かなくなりましたが、日本経済にとって悪影響は大きいのです。

第3部 CHAPTER 18

JFK暗殺

――悲劇の「真相」めぐる論議はいまも

2017年10月、トランプ米大統領は1963年のジョン・F・ケネディ大統領の暗殺事件に関する非公開の機密文書約2800件を公開すると発表しました。

アメリカ・テキサス州のダラスで、この原稿を書いています。

日米間初の衛星中継ニュースは、ケネディ暗殺だった

「大変、ケネディ大統領が殺されたって」。いまから半世紀余り前の1963年11月、私は母親の叫び声で叩(たた)き起こされました。

この日、日米間で初の衛星通信による中継が行われることになっていました。当時はこれを「宇宙通信」と称しました。アメリカからどんな映像が送られてくるか、固唾(かたず)を呑(の)んで待っていた日本の視聴者に告げられた第一報は、ケネディ大統領暗殺のニュースだったのです。

ケネディ大統領の暗殺事件をめぐっては、暗殺犯として逮捕されたリー・ハーヴェイ・オズワルドが、警察署からの移送中にジャック・ルビーという男に銃撃されて死亡したことから、事件の動機などが未解明のままになってしまいました。

このため、暗殺事件を検証する委員会が発足しました。委員長を務めた連邦最高裁長官のアール・ウォーレンの名前をとってウォーレン委員会と呼ばれます。

事件現場はダラスの旧市街。ケネディを乗せたオープンカーが交差点を曲がって

スピードが落ちたところで銃撃を受けました。オズワルドは、交差点に面した教科書倉庫の6階からライフル銃で銃撃したとされます。

事件後、犯人を捜索中の警察官が銃撃されて死亡し、銃撃犯としてオズワルドが逮捕されました。

ウォーレン委員会は64年9月、膨大な資料のついた報告書をまとめ、ジョンソン大統領に提出しました。

報告書は、暗殺がオズワルドの単独犯行だと結論づけました。

1963年11月、米テキサス州ダラスで暗殺される直前のケネディ大統領＝AP／アフロ

くすぶる単独犯行説への疑問

しかし、ビルの6階から走っていたケネディを正確に銃撃できるのか疑問だという声や、銃声を別の方向から聞いた人がいる等々の疑問を呈する声など、その後も事件の真相をめぐっては、様々な陰謀説まで飛び交いました。

報告書のうち、一般に公開されなかった部分に関しては、２０３９年までの75年間封印されることになり、「政府には隠しておきたいことがあるのではないか」との新たな疑惑を招きました。

その後、１９９２年には25年後までに情報公開を進めるよう定めた「ＪＦＫ暗殺記録収集法」が成立。封印されていた資料の大半が公開されていました。残された機密資料の公開期限である２０１７年10月を迎え、大統領の判断が注目されていたという経緯があります。

ドナルド・トランプ大統領が、残された機密資料について、生存している人の名前や住所を除いて公開すると言い出したことから、再び脚光を浴びることになったのです。

事件現場には、いまも多くの人がやってきて、各自が「真相」について語り合っています。

ソ連による暗殺指令の説も

事件をめぐっては、オズワルドが、事件前にソ連に亡命した後、アメリカに戻ってきていたことから、ソ連による暗殺指令があったのではないかという説がありました。

また、事件前、米中央情報局（CIA）が亡命キューバ人を使ってキューバのカストロ政権を打倒しようとした謀略をケネディ大統領が途中でやめさせたことから、大統領に反感を持った反キューバ勢力が実

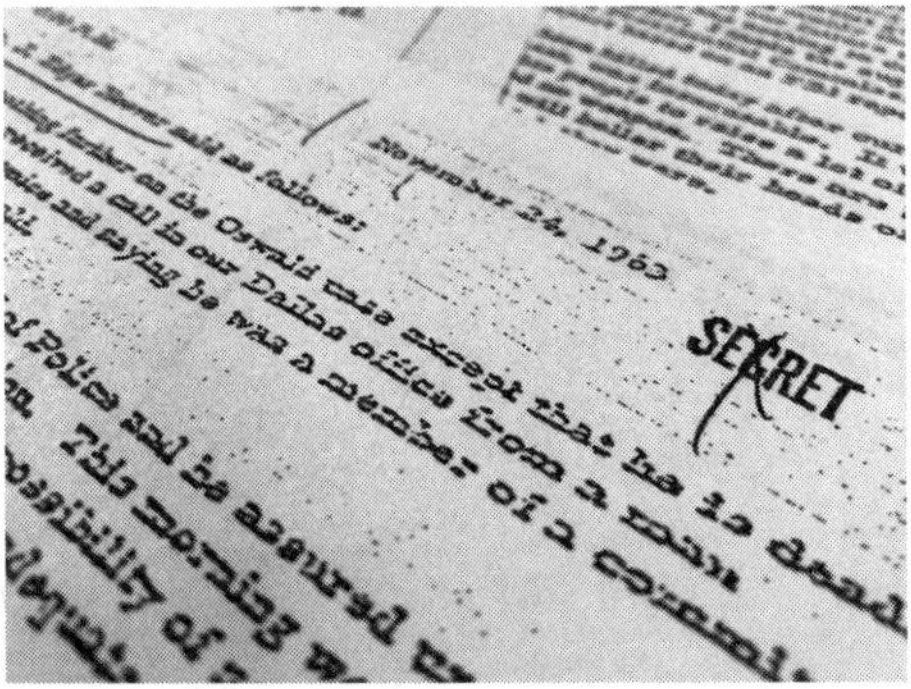

2017年10月26日、新たに公開されたケネディ米大統領暗殺に関する文書の一部＝AP／アフロ

行したという説。反感を持ったCIAそのものが関与していたという説。

逆に反米国家のキューバが大統領を暗殺させたという説。果てはジョンソン副大統領が大統領昇格を狙って関与したという説まで飛び出しました。

若き大統領の悲劇的な死は、いまもアメリカ人の心に刻まれ、「真相」をめぐる論議が続いているのです。

第3部 CHAPTER 19

「イスラム国」は倒れても

2017年7月、過激派組織「イスラム国」(IS)の最大拠点モスルが解放され、イラク政府は「戦いに勝った」と宣言しました。指導者バグダディ容疑者による「国家」樹立宣言から3年。大きな節目を迎えました。「イスラム国」問題のこれからを考えます。

「英仏による国境を引き直す」

当初は混乱したイラク軍でしたが、イランや米軍の支援を受けて態勢を立て直し、イラク北部のモスルに攻勢をかけました。

また国際社会は「イスラム国（イスラミック・ステート）」の資金源となっていた石油の密輸ルートを断ち、志願兵の流れを抑え込むなど、組織の弱体化にも力を注いできました。「イスラム国」の勢力が及ぶ隣国シリアを含めると、「イスラム国」打倒に立ち上がったアメリカとロシアなど多くの国々が呉越同舟の関係にありました。

当初は極小の過激派グループにすぎなかった「イスラム国」の前身組織は、フセイン政権崩壊後のイラクの混乱の中で膨張していきました。さらに民主化運動「アラブの春」以後、シリア内戦に乗じて勢力範囲を広げました。国家のような組織の下で住民を支配し、世界のイスラム教徒に対し、「自分たちに従え」と呼びかけたのです。

その過程で見逃せないのが「『サイクス・ピコ協定』の打破」を打ち出したことです。第1次世界大戦のころ、イギリスが広大なオスマン帝国の分割支配をフランスなどと交わした密約のことです。

現在のイラク、シリアの間に引かれた真っすぐな国境線は歴史の名残でもあります。勝手に引かれた国境線を引き直す。中東の人々には、民族の尊厳を取り戻してくれるメッセージとして響いたのです。

宗派と民族が、理解の重要な視点の軸

今回のモスル解放によって「イスラム国」の劣勢がハッキリし、局面は変わっ

「イスラム国」が爆破した礼拝所「ヌーリ・モスク」の跡地(左)。子どもを抱えて避難する住民の姿も(2017年7月1日、モスル旧市街)=共同通信社

たといえるでしょう。しかし、一番懸念しているのは、イスラム教の宗派、民族をめぐる問題が今後どのような展開をみせるのかということです。「スンニ派」と「シーア派」の宗派対立や、アラブ人とクルド人の民族対立はずっと続いてきました。この地域を理解する重要な視点の軸です。

たとえばイラクでは、長年、少数派だったスンニ派のフセイン政権による支配が続きました。大量破壊兵器の開発を理由にアメリカが攻撃して政権が崩壊すると、対立してきた多数派のシーア派が主導権を握り、大混乱に陥ったのです。「イスラム国」という共通の敵がいなくなってしまえば、少数民族クルド人との緊張関係も改めて緊迫化するでしょう。

周辺国も巻き込みます。シーア派の大国イランはイラクを支援しています。「イスラム国」壊滅へ向け、精鋭部隊を「シーア派民兵」として派遣したとみられています。

一方、スンニ派の大国サウジアラビアは警戒心を強めています。「イスラム国」壊滅でシーア派系のアサド政権がシリアで延命することは、対立するサウジアラビアとして、面白くないのです。

今後も「イスラム国」に呼応する新世代のテロリストが生まれる可能性もあります。欧米に移り住んだイスラム教徒やその子や孫にあたる世代は、経済的に恵まれず、社会的な差別を受けるという厳しい現実があるためです。若者が生まれ育った国や地域が「ホームグロウン・テロリスト」を生む温床になるのです。

しかもピーク時に3万人もの「イスラム国」志願兵がいたと推測され、その多くが出身国・地域へ帰っているとみられる点も要注意です。支配地域で兵士として養成された少年たちが大勢いることも報じられました。

一つの危機の終わりは、新たな危機の芽を生む

「イスラム国」が急激に勢力を広げた2015年初め、私の友人でもあるジャーナリストの後藤健二さんらが人質に取られ、犠牲になるという痛ましい事件に遭遇しました。私はその直後、このコラムでこう記しました。

「人間は、こんなにも残酷になれるものなのかと天を仰ぎます。世界は、とんでもない化け物を生み出してしまいました」

改めて現代史の視点でこの問題を振り返れば、アメリカとソ連の対立による東西冷戦の終結後、世界各地で深刻な地域紛争が頻発したことに気づきます。湾岸戦争や旧ユーゴスラビア内戦などがその代表例です。強大な米ソの軍事力というタガが外れ、抑え込まれていた民族主義や宗教心の高揚が起きたのでしょう。

湾岸戦争を主導した異教徒のアメリカへの敵がい心から過激派組織アルカイダが登場し、やがてアルカイダから「イスラム国」へとつながる過激派組織が生まれました。まさに一つの危機の終わりは、新たな危機の芽を生むきっかけになる可能性があるのです。

「『イスラム国』との戦いに勝った」と宣言した後、何が生まれるのか。２０１９年10月、米軍に急襲された指導者バグダディ容疑者は、自ら命を絶ったと報じられました。「イスラム国」の思想に共鳴する若者は世界に広がっています。これですべて解決したと断言できるのでしょうか。それを考え抜くことが、歴史を学び教訓を知る意義でもあるのです。

第3部 CHAPTER 20

人道的介入は許されるか？

――米軍のシリア攻撃を考える

大学では国際情勢や社会問題に関する大きなニュースがあったとき、学生たちの意見を聞き、一緒に考えるようにしています。２０１７年４月に起きたアメリカ軍によるシリア攻撃では、「人道的介入はどこまで許されるのか」をめぐって、学生たちと議論しました。

力の外交を示したトランプ大統領

アメリカ軍がシリアの軍事施設を標的に巡航ミサイル59発を撃ち込んだのは、独自の情報収集に基づいて、アサド政権による反政府勢力支配地域への空爆で「化学兵器」が使われ、子どもを含む民間人に多くの犠牲者が出たと断定したためです。まさにアメリカでの米中首脳会談の最中の出来事でした。

アメリカのトランプ大統領は犠牲になった双子の子どもたちの写真を引き合いに、これ以上、犠牲者を出せないと判断したといいます。内戦が続くシリアへの軍事介入は、オバマ前政権時代とは全く異なる政策転換です。まさに力の外交を示しました。

国連の安全保障理事会でも、このシリア問題を議論している真っ最中でした。国連憲章は原則として武力行使は禁じているのですが、国連決議がある場合と、自衛権（個別・集団的）を行使する場合の2つのケースを例外としています。

たとえば、1991年の湾岸戦争。クウェートに侵攻したイラク軍を撤退させるため、アメリカ軍を中心とした多国籍軍が組織され、国連決議に基づいて軍事行動に踏み切ったケースがありました。

今回、トランプ大統領は「化学兵器の使用と拡散を防ぐことは、アメリカの安全保障の上で、非常に重要な国益である」と強調したことが報じられました。自国の安全を守る自衛権に基づいていれば、国連決議がなくても構わないという正当性を強調したかったのでしょう。

「攻撃はやむなし」「国際ルール上問題では」

そこで学生諸君に聞きました。

池上 まず、アメリカの決断を支持するという人はいますか。

学生A ニュースで、犠牲になった子どもたちの映像を見ました。あのような被害が出ているのだから攻撃は仕方ないと思います。

学生B　国際法上のルールよりも、世界を良くすること、平和を守ることを優先すべきだと思います。

池上　国際法の根拠に乏しくても、切迫した事態を食い止め、犠牲者を増やさないという考え方ですね。ほかに米政府の攻撃を支持する意見はありますか。なければ攻撃を支持しないという人の意見も聞いてみましょう。

学生C　（国連憲章のような）国際的なルールに基づかない軍事行動を認める前例になってしまう恐れがある。

学生D　内戦が激化してさらに犠牲者が増えるかもしれない。攻撃しても犠牲者が生き返るわけではない。

学生E　一国の判断だけで行動してよいのだろうか。国連決議が必要ではないか。

他にも解決の道を探るべきではないだろうか。

学生F アメリカはシリアから攻撃されないと判断しているのだろう。大きな軍事力を持つ国だけが攻撃できるのは不公平だ。

池上 意見を積極的に出してくれて感謝します。講義は一方的に聴くものではなく、自分と異なる意見も聴いて、考えることが大切なのですね。

「人道的介入」はどこまで許されるか

シリア内戦が今後、どのような展開になるのかわかりません。アメリカ軍のシリア攻撃に関して、その是非をめぐって今後も議論の対象となるでしょう。

講義のまとめとして指摘しておきたいのは、学生たちの意見の中にもあった「人道的介入」の是非についてです。

１９９０年代、旧ユーゴスラビアを構成していたセルビアと自治州コソボの分離独立運動をめぐる対立です。政府の住民弾圧が激しくなり、北大西洋条約機構（NATO）は自治州住民の保護という人道的な判断から軍事介入しました。その是非をめぐって、国際世論は大きく揺れました。

では、一体全体、住民の保護はどこまで許されるのか。たとえばロシアはロシア系住民の保護を目的に、ウクライナに介入し、クリミア半島を自国領土に編入してしまいました。バルト3国の人々の間では、リトアニアやエストニアにいるロシア系住民の保護を名目に、ロシアが軍事介入するかもしれないという懸念が強まっているのです。

このほかにも、緊迫する朝鮮半島情勢、首都を名実ともにエルサレムとして占領するイスラエルと、これに反対するアラブ諸国の対立など、かつてないほど国際情勢は悪化しています。「世界はどこに向かうのか」。学生たちと一緒に考えていきます。

第3部 CHAPTER 21

メルケル氏にみる宰相の資質とは

北朝鮮の核とミサイル開発問題。国連安保理が制裁決議しましたが、北朝鮮の指導者を翻意させることは困難です。一方、アメリカのドナルド・トランプ大統領の意向も不透明です。

あえて火中の栗を拾う

あえて火中の栗を拾うような発言をした人がいます。ドイツのアンゲラ・メルケル首相です。北朝鮮の核とミサイル開発について２０１７年9月10日付のドイツの新聞のインタビューに答えて、「もし交渉への参加が求められれば、すぐにでもイエスと言う」と語ったのです。

ドイツは、イランの核開発を凍結させる交渉で大きな役割を果たしましたし、ウクライナの停戦交渉でも中心的存在でした。この経験を北朝鮮問題でも生かしたいというのです。

ドイツは9月24日が連邦議会の総選挙。国内の政局で大忙しでしょうに、東アジア情勢でも役割を果たしたいと考えていたのでしょう。

考えてみると、ヨーロッパの大国のイギリスやフランスが核兵器を持っていても、ドイツは持とうとしていません。北朝鮮が核兵器を保有するのをきっかけに各地で核開発競争が始まるのは、ドイツにとっても困ったことだからです。

そんなドイツのメルケル首相を、傍若無人に見えるトランプ大統領も気にしています。ドイツの地方選挙でメルケル与党が勝利すると、トランプ大統領がわざわざお祝いの電話をしたほどです。これにはメルケル首相本人が当惑したそうですが。

また、アメリカの通信社ＡＰの記者がトランプ大統領に「一番相性の良かった外国の首脳は誰か」と尋ねたところ、トランプ大統領は「メルケル首相だね」と答えたそうです。このときはＡＰの記者が「本当に？」と聞き返しています。最初の首脳会談の際、トランプ大統領はメルケル首相と握手をしようとせず、これが大きく報じられていたからです。

このトランプ大統領の返答はジョークだったようですが、それほどまでにメルケル首相のことが気になるのですね。

難民受け入れに反対する新興右派が躍進

２０１５年の夏、シリア内戦を逃れて、多数のシリア難民がヨーロッパに押し寄せたとき、メルケル首相は約１００万人もの難民受け入れを決断しました。

その後、ドイツ国内では難民によるテロが相次ぎました。これまで多くのドイツ国民は、多数の難民受け入れを容認してきましたが、2017年9月の連邦議会選挙は厳しい結果となりました。

メルケル首相率いる中道右派のキリスト教民主・社会同盟(CDU・CSU)が全709議席のうち246議席を獲得して第1党の座を確保しました。中道左派の社会民主党(SPD)は第2党にはなりましたが、大連立を組んできた2大政党はいずれも大幅に

大連立をめぐる協議後、写真撮影に応じるドイツのメルケル首相(中)と社会民主党のシュルツ党首(右)(2018年2月7日、ベルリン)=ロイター/共同

議席を減らしたのです。

これに対し、難民の受け入れに反対する新興の右派政党「ドイツのための選択肢」は94議席を獲得。連邦議会に初めて議席を確保し、第3党に躍り出たのです。選挙後、メディアは、「政府の難民政策や2大政党に対する国民の不満を背景に、新興政党に躍進を許した」と分析していました。

メルケル首相は社会民主党との大連立政権を組みました。かろうじて首相に再任されましたが、4期目の政権運営は難しいかじ取りを迫られるでしょう。

その後、与党はドイツの州議会選挙でも議席を減らしました。この責任を取って、メルケル首相は18年間務めてきたキリスト教民主同盟の党首を退きました。また、現在の首相任期が終わる2021年に政界を引退することを表明したのです。転換点を迎えたドイツの政策にも注目していく必要があるでしょう。

寛容な受け入れ姿勢は、第2次大戦への深い反省

これまで、メルケル首相をはじめ、ドイツの人々が難民受け入れに寛容な姿勢を

示してきたのは、第2次世界大戦への深い反省があるからです。

ナチス・ドイツによるユダヤ人虐殺と少数民族の抹殺という過去に対してです。

ドイツ国内各地の歩道には、「つまずきの石」と呼ばれるプレートが埋め込まれています。プレートには氏名と没年月日などが刻まれています。その歩道の前に住んでいて殺害されたユダヤ人のことなのです。

強制連行されたユダヤ人の氏名などを記し、路上に埋め込まれている「つまずきの石」（ベルリン）＝共同通信社

気をつけて歩かないとつまずいてしまう。わざとそうすることで、現代のドイツ人に、過去を思い起こさせているのです。

ドイツ国内には強制収容所が保存され、高校生たちは社会科の時間に見学。ホロコースト（大量虐殺）の歴史を学びます。

犠牲になったのはユダヤ人だけではありませんでした。少数民族も殺害されました。そうした過去を徹底的に学び、教訓としてきたのが、戦後のドイツの歩みでした。

戦火を逃れてドイツにやってきたシリア難民の姿は、ドイツの人たちにとって、過去のドイツが抹殺した少数民族と二重写しに見えたのです。

だからこそ、メルケル首相の難民受け入れは容認されました。その決断と正義感もまた、国民に受け入れられたのです。

差別を許さず、正義を貫く。人権問題であれば、外国のことでも座視しない。これがメルケル首相の強さなのでしょう。

2 教え子との読書会

課題『「西洋」の終わり』

ビル・エモット著、伏見威蕃訳、日本経済新聞出版社、2017年

「最近は論文しか読んでいないんです」

いかにも東京工業大学の学生らしい発言です。2017年の8月から始めた東工大の学生や卒業生との2回目の読書会でのこと。こう発言した参加者がいました。

大学を出ても学びたい

「大学を出ても勉強したいんです」という教え子たちの声に応えて始まった読書会。9月中旬に2回目を実施し、私と教え子の10人が参加しました。

会場は金曜夜の東工大大岡山キャンパス。施設には世界各地からの研究者が大勢出入りしていて、とても日本の大学の中とは思えません。ところが、ここには和室があって、掘りごたつのように足を伸ばして議論できるスペースになっているのです。ここにみんなで座ると、なんだか居酒屋でのコンパのような雰囲気です。

就職で福岡に赴任している卒業生は、わざわざ休暇を取って参加です。

まずは、最近読んだ書籍についての報告から始めました。

みんな仕事や研究に忙しい生活を送っていますが、その合間をぬって文学作品を読んでいる者もいれば、冒頭のような発言も飛び出します。論文しか読まないような生活ではいけないと考えているからこそ、参加したのでしょうが。

今回の読書会で取り上げたのはビル・エモット著、伏見威蕃訳の『「西洋」の終わり』（日本経済新聞出版社）です。

大型書店のビジネス書のコーナーで発見した途端、「これを読書会の本として取り上げよう」と思いつきました。多くの東工大生は、こういう種類の本を自分から選ぼうとはしないだろうと思ったからです。

ふだん論文しか読まない研究者にとっても、伏見氏のこなれた訳文なら理解しやすいでしょう。

著者のビル・エモット氏はイギリスの国際情報誌「エコノミスト」の東京支局長などを歴任した後、同誌編集長も務めています。日本のバブル崩壊を予測した『日はまた沈む』は大きな話題を呼びました。

それにしても、「西洋」の終わりとは穏やかではありませんが、ここでは、第1

筆者（右から2人目）と教え子たちによる第2回の読書会が開かれた（2017年9月、東工大大岡山キャンパス）＝東工大提供

次世界大戦終結後にオスヴァルト・シュペングラーが著した『西洋の没落』と、東西冷戦終結後にフランシス・フクヤマ氏が世に問うた『歴史の終わり』が意識されています。

危機にさらされる「自由主義」

エモット氏が言う「西洋」とは、地理的な意味ではなく、「自由主義」や「自由民主主義」という名称で呼ばれる理念のことです。ここには「開放性」という理想が潜んでいるというのです。

それがいまやアメリカで保護主義を主張するトランプ政権が誕生したことや、中東での過激派組織「イスラム国」（IS）の活動、中国やロシアの傍若無人の振る舞いなどによって危機にさらされているというわけです。

「最近は論文しか読んでいない」という悩みも（筆者＝中央奥＝と教え子らとの読書会）＝東工大提供

欧米での格差の拡大や移民・難民の受け入れをめぐる議論。まさに「開放性」が問われていることについて、読書会の参加者のひとりは、「日本にいると、他人事に見えるんだよなあ」と述懐しました。正直な感想でしょう。

この発言には、やはり他人事なのか、いや他人事でいいのか等々の発言が相次いで議論が白熱しました。

この議論を受け、私は著者が「日本という謎」の章を設け、日本社会の「硬直化」を問題点として挙げていることに触れました。欧米での出来事を他人事だと受け止めているうちに、日本はさらに没落の道を進むのではないか。結局は、日本をどうすべきかが問われているのだと。

社会に出ても学び続けている参加者のような若者たちが、今後の日本を支えていく。このことは救いになるのですが。

慣れない本を読むのは、困難でも新鮮な体験に

この読書会の後、参加した東工大の卒業生や学生たちから感想が寄せられました。

理系の学生たちは、ふだん社会科学系の書籍を読む機会が少ないだけに、こうした種類の本に取り組むのは、困難ではあっても新鮮な体験だったようです。どんな感想を持ったのか、3人の文章のさわりを紹介します。

A君　この本を読むことは、他人事だった政治や社会が、自分の問題へと転換される場だったように思います。

同時にもどかしかったのは、語れる言葉が自分には足りなかったということです。自由とは何か、権利とは何か、平和はどうもたらされるのか。もっと深く話したいのに、言葉にならないことが多く、悔しさが残りました。

筆者の主張の論拠が、構造的ではあるものの多面的でないように思えた箇所も多くありました。しかし、それらを言葉にできないままに時間が流れてしまい、残念に感じています。これから、自分はもっと学ばなければなりません。

自由民主主義を守るために、戦うべきものはなんでしょうか。まず戦うべきは、他人ではなく、自分の無関心や思考停止でしょう。自由民主主義が、全体の地図を持たず、信頼とバランスを作る枠組みで定常しているからこそ、個人が社会を学び、語るべき意味があるのだと、改めて納得しました。

現状に怒りや無力感があったとしても、希望がもてないわけではありません。終盤に話題になった、社会の閉塞感を破ることは、政治で上から与えるものではなく、個人の行動が生み出すものだと思います。私は研究が好きな一方、研究だけすればよい、全体なんてわからない、という価値観に疲れてきました。

研究者が専門以外のことで世のため人のために行動する。現時点では単なるリスクでしょうが、なぜか今回の読書会で動き始めなければと背中を押されました。まずは、科学と工学の諸概念を有機的に俯瞰（ふかん）し、社会が利用しやすい形で知の構造を引き出せるツールとチームを作りたいと思い立っています。

本の中では、民主主義の敵として政治を金で動かす経済主体が主に描かれていました。しかし、民主主義の敵は個人の心の中に──もちろん、自分の中にも──あります。謙虚に、学び続け、社会に貢献する。その決心と感謝をもって、感想文の結びとさせていただきます。

将来を考える必要性を実感

B君　ビル・エモット氏の強いメッセージと膨大な知識と論理に圧(お)されましたが、読書会では日本はどうすべきかという観点から議論しました。このように横糸（世界）と縦糸（歴史）を俯瞰しながら日本を語り将来に思いを馳(は)せるのは、少し気恥ずかしい気もしましたが、池上先生をはじめ皆日本の行く末を案じている姿を見て、私も日本という国の一員として将来を考える必要性を実感しました。

C君　読書会の課題図書に選んでいただかなければ、読まなかったであろう書籍で、難解でした。とりわけ歴史的背景に

第2回読書会に参加した筆者（前列左から2人目）と東工大の教え子ら（2017年9月、大岡山キャンパス）＝東工大提供

関する知識が浅いために各国の価値観がつかみにくいと感じました。

それぞれの国で異なる対立や閉塞感の中身は、各国の歴史の流れの中で捉えることで理解が深まると感じました。

日本の今後の変容について、「だれも望まないような極端な状況でなければ、徹底した変容はあり得ない」のか、著者の主張のように「革命的に変容するのにも、ビッグバンは必要ではなく、段階的に行われるはず」なのか、これから社会人生活が長い身としてはその違いは大きいですが、日本が戦うべき相手は、硬直化を生み出している既得権益など数多くあり、真似すべき解決策がない困難さと面白さがあると思います。

読書会を通じて、視野を広げ、これから具体的に始めようとしている自身の戦いに少しの知恵を加えることができたと感じます。

第４部　日本を知る――直面する課題と向き合う

「平成」というひとつの時代が終わり、歴史に刻まれました。
多くの若者たちが、バブル崩壊後の日本とともに歩んできた時代です。
時代の節目を迎えたいまこそ、風化させてはならない日本の課題が
あることを知ってほしいのです。

就活が解禁され、都内で出陣式を行う学生たち（2018年3月1日）＝ロイター／アフロ

第4部 CHAPTER 22

官僚の仕事は誰のため

──財務省の決裁文書「改ざん」問題

学校法人「森友学園」への国有地売却に関する財務省の決裁文書の「改ざん」（書き換え）問題。新聞によって1面の見出しが分かれました。日本経済新聞は「答弁に合わせ書き換え」と表現しましたが、どう見ても、これは改ざんでしょう。「書き換え」では罪の重さが伝わりません。

民主主義の根幹に関わる事件

「改ざん」と表記してしまうためにイメージが湧きませんが、本来は「改竄」と表記します。「竄」には、隠れる、逃れる、という意味があります。文字を書き換えて逃れようとしている、という責任逃れのイメージです。

決裁を受けた正式文書であるのに、国会議員に見せるために内容を変えてしまったというのは前代未聞の出来事です。民主

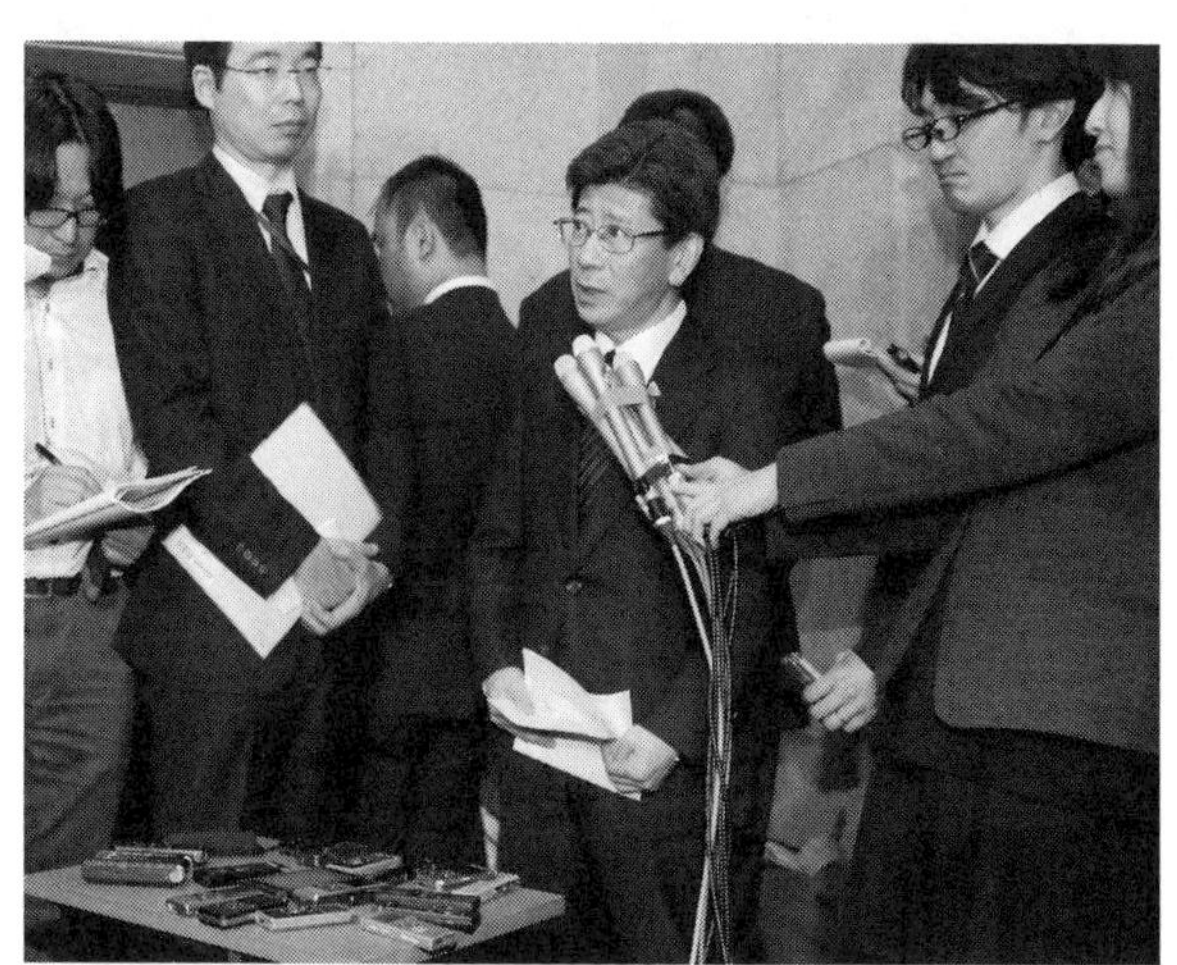

国税庁長官を辞任し、取材に応じる佐川宣寿氏（中央。2018年3月9日、財務省）＝共同通信社

主義の根幹に関わる事件なのですから、せめて見出しは、もっと厳しい表現にしてほしかったと思います。

それにしても、と思います。官僚は誰のために仕事をしているのか。

今回の一連の出来事を振り返ると、安倍晋三首相あるいは昭恵夫人の直接の関与というよりは、安倍昭恵夫人の名前が登場したことに官僚たちが忖度して特例をつくり出したように見えます。

日本はいい意味でも悪い意味でも忖度社会。客の意向を忖度し、先回りしたサービスを提供するという点で、日本のサービス業のレベルは高いのですが、政治家の意向を勝手に忖度して官僚たちが様々な行動をとってしまうと問題になります。

このコラムを読んでいる若者たちは、将来どんな仕事につきたいか、いろいろと考えていることでしょう。中には地方や中央を問わず、公務員として働きたいと考えている人も少なくないはずです。

そういう人たちに問いかけます。もし、あなたが現場の官僚だったら、今回のような事態に直面したときに、どういう態度で臨むでしょうか。

国有財産や税金に関わる問題

首相夫人の名前が出てきたので、特例として改竄を認めようという動きが出たら、どうするのか。庶民だろうが首相夫人だろうが、同じ日本国民。対応は平等でなければなりません。国有財産や国民の税金に関わる問題だからです。

まして、局長が国会で答弁した内容と整合性を保つために決裁済みの文書を改竄しろと命令を受けたら、あなたはどうしますか。官僚は国民全体の奉仕者。国民のために仕事するために就職したはずです。一部幹部の保身に協力するのが仕事ではありません。

それとも単に「公務員は安定しているから」という理由だけで就職したのでしょうか。それなら、上司や自分の保身のために文書を改竄することなど、どうということはないかもしれません。が、それでは何のために、これまで国民の税金を原資に給料を受け取ってきたのか。職務に真摯に向き合う多くの公務員がいることを忘れないでください。

このところ民間企業でも検査データの改竄が問題になっています。中には安全性に不安を抱かせるようなものも含まれています。世界に冠たる日本企業の誠実な仕事ぶりはどこへ行ったのか。

そんな落胆が広がっていますが、エリート中のエリートと自負してきた財務省の官僚までが改竄に手を染めていたのでは、救いがないではありませんか。

その後、3月下旬の安倍首相の国会答弁や、佐川宣寿前局長の証人喚問を経て、マスコミ各社の報道は「書き換え」から「改ざん」に改められました。本来なら、最初から報道機関としての立場を示してほしかったと思います。

改めて官僚を目指す若者に問いかけます。「君たちは、どう生きるつもりなのか」と。

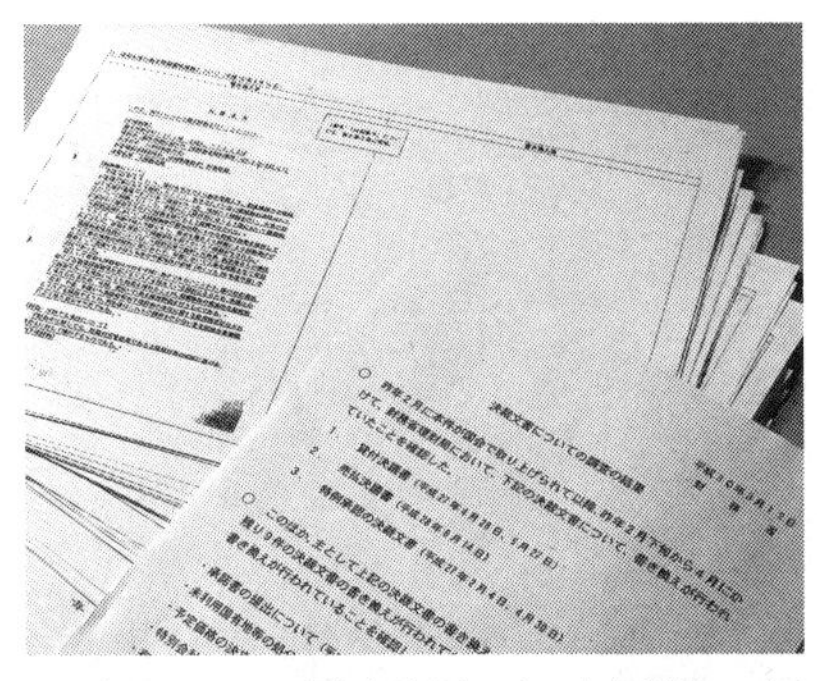

2018年3月12日に財務省が公表した、森友学園への国有地売却をめぐる決裁文書書き換え問題の報告書＝共同通信社

第4部 CHAPTER 23

議論の根拠はどこに？

——「裁量労働制」の行方

大学で教えるようになって大事だと痛感している言葉に「エビデンス」があります。証拠あるいは根拠と言えばいいでしょうか。何事かを論じるときには、必ず根拠を明らかにしなければならないという鉄則です。そしてその根拠は、誰でも検証可能でなければなりません。

比較できないデータは根拠にならず

もし「AよりBの方が優れている」と主張したいのであれば、AとBを比較することが可能なデータが必要です。比較できないデータでは根拠になりません。何の話をしているか、おわかりですね。政府の「働き方改革関連法案」をめぐり、裁量労働制に関する厚生労働省の調査の不備が指摘された問題です。

結局、裁量労働制に関する法案は、今国会では提出されないことになりました。政府・与党は、調査の不備への批判が強まり、国民の理解を得られないと判断したわけです。そこで講義テーマとして、問題点を改めて整理します。

裁量労働とは、仕事の進め方や時間配分を働き手に委ねる方式です。政府は、裁量労働の拡大を目指しています。

安倍晋三首相は２０１８年１月29日の衆院予算委員会で、裁量労働が、「一般労働者よりも労働時間が短いというデータもある」と答弁しました。ところが、発言の根拠になったデータがおかしいのではないかと野党の追及を受けていたのです。

問題のデータは、厚労省が実施した「2013年度労働時間等総合実態調査」です。

この調査で一般労働者には、「1カ月で最も長く働いた日の残業時間」を尋ねています。その平均が1時間37分だったことから、法定労働時間の8時間を加えた9時間37分という数字を出しました。

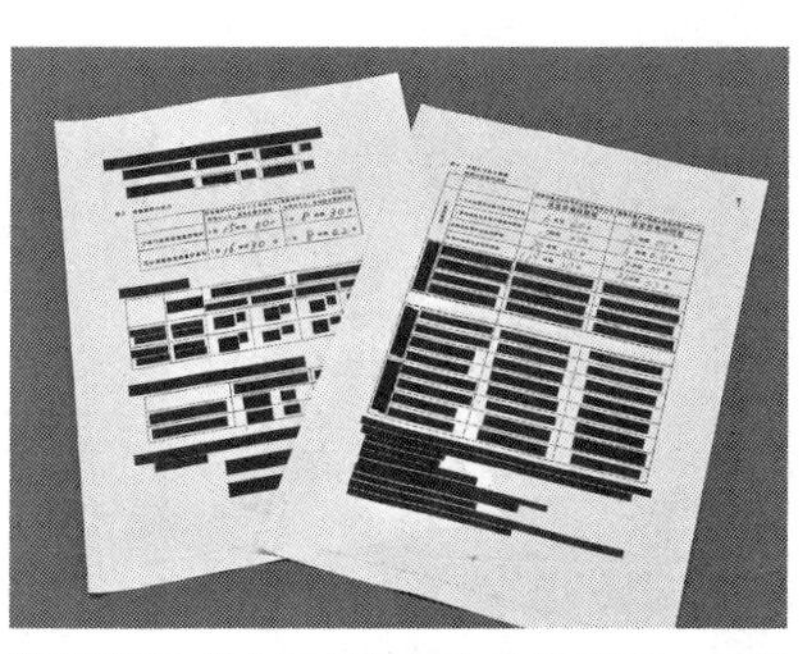

裁量労働制に関する不適切なデータ処理問題で、厚労省の地下室から見つかった調査原票のコピー（2018年2月）＝共同通信社

これは、一般的な労働者が最も長く働いた日のデータです。

ところが、安倍首相が比較対照に使った裁量労働に関する調査は、「1日の労働時間」を尋ねています。これが平均9時間16分。両者を単純に比較すると、裁量労働の方が労働時間が短いというデータが得られます。

ですが、この比較がナンセンスであることは明らかですね。一般労働者には「最も長く働いた日の残業時間」を聞き、裁量労働者には1日の平均労働時間を尋ねているのですから。

大学のリポートなら0点

これなら裁量労働が「一般労働者よりも労働時間が短いというデータ」を取り出すのは簡単です。

でも、このデータは比較できません。比較するなら、同じ条件で質問しなければならないからです。たとえば、一般労働者と裁量労働者の双方に「1日に働く時間は何時間ですか？」と尋ねるか、あるいは双方に「1日に最長の労働時間は何時間ですか？」と尋ねるべきでした。

衆院予算委で、立憲民主党の長妻昭氏（左下）の質問に答える安倍晋三首相（2018年1月29日）＝共同通信社

でも、実はこのように条件を等しくして質問しても意味がないという考え方もあります。というのも裁量労働で働いている人は、何時間働いても残業代がつかないので、何時間働いたかということに無関心になりがちだからです。

私自身、放送局に勤務していたときも大学教授に転身してからも裁量労働で働いていましたから、労働時間をいちいち確認していませんでした。

つまり1日の労働時間に無関心な人を対象に「何時間働いたか」と聞いても正確なデータは得られないのです。

そもそも比較対照する片方のデータ収集に正確性が欠け、データ収集の方法が異なるのに比較して数字を出す。

学生からこんなリポートが提出されたら、迷うことなく却下。成績は0点です。

「言いたいこと、やりたいことがあるなら、正確な調査をやり直し、万人を納得させるエビデンスを示しなさい」

学生たちなら、私のアドバイスにしっかり答えてくれるはずですが。

第4部 CHAPTER 24

真剣勝負が映す人間ドラマ
――衆院選特番後記

総選挙といえば、人気アイドルグループ、AKB48のセンター選びを思い出すでしょう。若い女性たちの競争の人間ドラマが繰り広げられますが、政治家たちの人間ドラマも見応えがありました。

視聴者の好評得た『政界　悪魔の辞典』

２０１７年10月22日、突然の解散で幕を開けた衆議院選挙のドラマが終わりました。それを総括するのが、投開票日の夜に放送される選挙特番。今回もテレビ東京系の「池上彰の総選挙ライブ」を担当しました。

視聴率では、いつも民放トップを獲得してきましたが、他局も負けじと研究してきます。これまでと同じことをしていたのでは、追いつかれてしまいます。そこで新たに考案したのが『政界　悪魔の辞典』でした。選挙や政治について現代版の風刺をしてみようとスタッフと相談して作り上げました。

オリジナルはアメリカのジャーナリストだったアンブローズ・ビアスが19世紀末に記した箴言（しんげん）集『悪魔の辞典』です。

たとえば「選挙ポスター」は、「勝敗を左右する重要なアイテム。修正しすぎると〝別人〟に…」という具合です。

おかげさまで視聴者から好評をいただき、今回も民放視聴率トップ獲得に貢献しました。

番組では、政党の責任者や候補者に中継でインタビューします。事前の打ち合わせなど全くありませんから、真剣勝負。いわゆる「ガチンコ」です。私の質問にどう答えるかで、その人となりが見えてきます。

中でも話題になったのは、自民党の二階俊博幹事長とのやりとりです。私の質問に「あんまりいい質問じゃないですね」と返すなど、終始無表情を通しました。視聴者の多くは「不機嫌そう」と受け止めたようですが。

小池氏の見事な切り返し

二階氏は「老練な政治家」と呼ばれます。いわゆる古いタイプの政治家の特徴はどういうものかを明らかにしようと質問を重ねたのですが、真正面からのお答えはなく、結果として「古いタイプ」と称される政治家がどんなタイプなのか、視聴者に印象づけられたのではないでしょうか。

一方、選挙中に見事な切り返しを見せたのが、当時、希望の党代表だった小池百合子東京都知事でした。移動中の車に同乗させてもらい、私がカメラを回しながらインタビューしました。これを業界用語で「箱乗り」といいます。電車や自動車という「箱」に一緒に乗って取材する、という意味です。

この中で、小池氏について「緑のタヌキと呼ばれますが」と聞きました。これは、相当失礼な聞き方ですね。ムッとすれば、その対応で人柄が見えてくるので、あえて、こういう聞き方をしたのですが、答えは意外なも

出張先のパリで、報道陣の取材に応じる希望の党の小池代表（当時）（右側、2017年10月22日）＝共同通信社

のでした。

「そうよねえ。キツネよりは、どちらかといえばタヌキ顔よねえ」

これぞタヌキ（失礼！）の本領発揮の対応です。

言葉の恐ろしさ改めて痛感

しかし、選挙特番の中でパリにいる同氏との中継では、疲れた顔で終始「反省」の弁でした。当初は「希望旋風」が吹くかと思えた総選挙は、「さらさらない」「排除」の言葉で失速してしまいました。言葉の恐ろしさを改めて痛感しま

明日の日本を支えるのは有権者である私たち（衆院選の街頭演説を聞く有権者ら。2017年10月20日、福岡市）＝共同通信社

した。

番組の最後に、総選挙をどう総括するか。スタッフと相談して絞り込んだメッセージは、次のようなものでした。本書でも、その言葉を紹介します。

Professor's Memo

テレビの生きる道

日本でもインターネットの動画配信サービスが台頭し、若者たちがテレビで番組を見なくなったといわれます。テレビ界ではかつて視聴率15％といえば高視聴率番組でしたが、最近は12％と定義が変わっています。双方の良さを融合したネットテレビなど、新しい取り組みも活発になっています。既存のメディアとして大きな地位を占めてきたテレビでしたが、ネットという新しいメディアから大きな影響を受けているのです。

私もそんなテレビの制作現場にいますが、報道系番組ではスポンサーは一切気にしません。メディアには「権力の監視」という重要な役割があり、スポンサーの意向で報道が偏ってはいけないからです。ただ、アメリカではテレビ局によって、共和党や民主党を支持する報道姿勢がハッキリしています。日本から眺めていると驚きますが、これもメディアが生きる道のひとつなのです。日本のテレビ局の将来像なのかもしれません。

「今回の選挙は、特に野党が離合集散する過程で、一人ひとりの政治家の資質、さらには人としての生き方が問われました。

また、選挙戦では異なる意見を持つ人を排除する動きが目立ちました。演説会での小競り合いもたびたび目撃しました。社会から寛容さが失われていくことは、日本の将来を考える上で、大変気がかりなことです。

ただ、今回、政治勢力が憲法観をめぐって三極に分かれたことは、有権者にとってわかりやすい構図になったともいえます。これにより、多くの人が政治に関心を持つきっかけになればと思います。

明日の日本を支えるのは、有権者である私たちなのですから」

第4部 CHAPTER 25

戦わずして敵を下した小池流「孫子の兵法」

──都議選取材後記

政治家としての小池百合子氏とはどんな人物なのでしょうか。小池東京都知事が代表を務めていた「都民ファーストの会」が圧勝した2017年7月の東京都議会議員選挙にそのヒントがあります。これを取材・報道した立場で振り返ってみましょう。

相手を丸ごと手に入れる

小池知事は、幼少のころから『孫子の兵法』に親しんでいました。孫子の兵法というのは、戦争に勝つために必要な理論を体系化した兵法書のこと。古代中国から現代に伝わっています。日本でも多くの経営者やビジネスパーソンが参考にし、愛読する人気の書です。

実は小池氏の選挙に向けての戦略・戦術からも、その片鱗（へんりん）がうかがえます。たとえば孫子の言葉として、次のようなものが伝わっています。

「戦わずして人の兵を屈するは善の善なるものなり」

戦いにおいては、戦わずに敵の兵を屈服させることが最上である、という意味です。

都議会選挙で、小池氏は、自民党や民進党の議員たちを「都民ファーストの会」

都議選の当確者に花を付ける小池百合子都知事（2017年7月2日、都内のホテル）＝共同通信社

に迎え入れました。もともと選挙の後援会や組織を持っている人たちを引き込むことで、消耗戦に持ち込まずに勝利を得ました。

「凡(およ)そ用兵の法は、国を全(まっとう)するを上となし、国を破るはこれに次ぐ」

相手の国を打ち破るのではなく、丸ごと手に入れることが最善である。小池氏は、自民党と連携していた公明党を味方に引き入れました。自民党側についていた勢力を丸ごと手に入れたのです。

「必ず全(まったき)をもって天下に争う」

相手を痛めつけず、無傷のまま味方に引き入れて天下を取る。民進党から離れれば推薦を与えるという条件で仲間を増やしました。

留学先の中東で権謀術数を体得か

こうした権謀術数（けんぼうじゅっすう）を、彼女はどこで体得したのか。エジプトのカイロ大学留学中だったと私は推測しています。小池氏は以前、私にこう語ったことがあるからです。「日本の政治は戦争といっても甘いものよ。命を取られることはないのだから」アラブ世界の政治は権謀術数が渦巻いています。政治も文字通り命がけの戦い。それをじっくり観察していたのです。

また、エジプトにいるときに第4次中東戦争が勃発。イスラエル軍による空襲を経験しています。その体験があれば、腹も据わるというものです。彼女から見れば、多くの日本の政治家は、甘ちゃんなのです。

過去の東京都議会選挙の結果の多くは、次の国政選挙の結果を占うものになっています。都議会選挙は、いわば大規模な世論調査の性格があるのです。

まずは課題の山積する都政の運営を

前述したように、小池氏は都議会選挙の勢いを得て、衆院総選挙のまさに台風の目となりました。希望の党（当時）を核にした野党連合が自民党を脅かすのではないかと、国民の関心が集まりました。ところが、自身の失言もあって失速。思いがけない逆風にさらされてしまったのです。

この先、小池知事は国政を視野に入れているのでしょうか。

改めて目指すのであれば、その前に、都知事としてしっかり実績を残すことが欠かせないでしょう。2020年7月には次の都知事選があります。

たとえば、2020年の東京オリンピック・パラリンピックの開催が迫ります。2018年10月には築地市場を豊洲新市場へ移転させました。新市場の活性化策に加え、旧市場の跡地再開発にもアイデアが欠かせません。急速に進む少子高齢社会への政策も待ったなしです。学生の首都集中による地方の衰退を懸念した政府は、東京23区内にキャンパスがある私立大学の定員の新規増員を原則10年間は認めない

意見交換会を終え、業界団体トップらにあいさつする東京都の小池百合子知事（右）（2017年6月22日、東京都中央区の築地市場）＝共同通信社

法案を閣議決定しました。首都大学東京はかつての名称である東京都立大学に20年4月から校名を戻すことになりました。都内には多くの大学があります。世代を越えて大学で学び続ける環境づくりにも手腕を期待したいところです。ひとつの国家にも匹敵する人口1300万都市・東京を舞台にした課題が山積しているからです。

まずは東京都議会と連携して、都政を運営できるかどうかが問われます。

ここでも孫子の兵法が役に立

つはずです。

「凡（およ）そ衆を治むること寡（か）を治むるがごとくなるは、分数是れなり」

大部隊の兵士を、まるで少数部隊のように率いるためには、しっかりとした組織の運営が必要だ、というのです。「都民ファーストの会」の議員を大量に誕生させたからこそ、この孫子の兵法が必要になるはずです。

第4部 CHAPTER 26

憲法の歩みを改めて考える

1945年8月15日。君たちには何の日かわかりますか。第2次世界大戦末期、日本が連合国に降伏し、戦争を終わらせることを宣言した、「終戦の日」です。ここから日本の戦後が始まり、新しい憲法の骨格となる草案づくりも動き出したのです。

揺れる首相の改憲発言

改正の議論が話題になってきた「憲法」の最大の争点は、「戦争放棄」と「戦力の不保持」を掲げた憲法9条です。国際情勢の変化に対応し、平和憲法の崇高な理念をどのように受け継いでいけばよいのでしょうか。

まず、憲法について整理します。憲法とは国の様々な法律の一番上に位置する最高法規のこと。権力者は憲法の規定に従い国を治めなくてはなりません。国民の権利を守るように権力者を縛るのが憲法なのです。

一方、国民は憲法の下で定められた法律を守る義務と責任があります。このように、憲法の下で国を運営する考え方を「立憲主義」といいます。

現在、自民党が憲法の一部を改正しようと主張していますが、どの部分を変えるか、人によって意見が異なります。

安倍晋三首相は、自民党総裁として、9条に自衛隊の存在を明記し、2020年に新憲法の施行を目指すことなどを示しました。ただ、自民党は2012年に「憲法改正草案」を発表し、9条に「国防軍」を明記することを提起しています。その主張と安倍総裁の新方針とをどう折り合いつけるか、自民党内部で議論が始まっています。

ただし、2017年8月の内閣改造後の記者会見で、憲法改正の時期について、「スケジュールありきではない」と、それまでの発言内容を修正し、「しっかり国会で議論してほしい」と発言しました。改正の意欲は伝わってくるのですが、いつどのように変えるのか、本人の発言は揺れています。

その後、2018年3月の段階で、自民党内では「戦力の不保持」を定める9条2項を維持しながら、安倍総裁の考え方にならう「自衛隊保持」案、2項を維持して「自衛権」を明記する案などが議論されていました。

平和憲法はGHQが草案、湾岸戦争が節目に

そもそも現在の憲法は、終戦後、民主化政策を掲げるGHQ（連合国軍総司令部）が日本政府に草案を示したことに始まります。その際、GHQは、「天皇制の維持」「戦

争放棄」「封建制度の廃止」という3原則が示しました。

現在の憲法で9条は1項で「戦争の放棄」を、2項で「戦力の不保持」を掲げています。いわゆる平和憲法の骨格です。この背景には、アメリカが日本軍の復活を恐れたからだともいわれています。そしてこの9条の解釈をめぐり、日本は何度も揺れ動いてきたのです。

最初の節目は1950年の朝鮮戦争でした。駐留米軍の派遣に伴い、日本の治安維持を狙いに「警察予備隊」が創設。後に「自衛隊」へとつながりました。歴代内閣は「自衛隊の役割は専守防衛。自衛権は否定されない。憲法違反ではない」と主張してきました。

次の節目は1991年の湾岸戦争。アメ

改造内閣が発足し記者会見する安倍首相（2017年8月3日、首相官邸）＝共同通信社

リカから要請された自衛隊の派遣を見送りました。すると、クウェート政府には多額の資金協力も感謝されず、国際貢献の難しさを突きつけられたのです。その後、新たな法律がつくられ、自衛隊は国連平和維持活動（ＰＫＯ）へ参加。復旧、補給など支援活動に道が開かれました。

憲法を考えることは、国の将来を考えること

大きな転換点は２０１５年の安全保障関連法の制定です。争点は「集団的自衛権」。個別的とは自国防衛のために反撃できる権利。一方、集団的とは自国が攻撃されなくても、仲のよい国が攻撃されたり、危機に陥ったりした場合に共同で反撃できる権利のことです。

集団的自衛権は国連憲章でも加盟国に認められています。歴代内閣は「権利はあるけれども現憲法の下では行使できない」としてきたのですが、安倍政権が解釈を変え、行使を可能にしました。

日本周辺では、北朝鮮による核開発が加速。中国やロシアなどが影響力を拡大す

るなど安保環境が激変しています。自衛隊のあり方が、改めて議論されるようになったのです。

今後の主な日程は、まず自民党が改正のたたき台を示し、衆議院と参議院にある「憲法審査会」で議論することになります。そして、衆参それぞれで総議員の3分の2以上が賛成すれば、改正案を国民に提案します。これを「発議」といいます。

私たちは国民投票で改正案への賛否を表します。投票年齢は以前の20歳以上から18歳以上に引き下げられました。日程次第ですが、いまの中・高校生にも関わる問題です。憲法を考えることは国の将来を考えることでもあるのです。

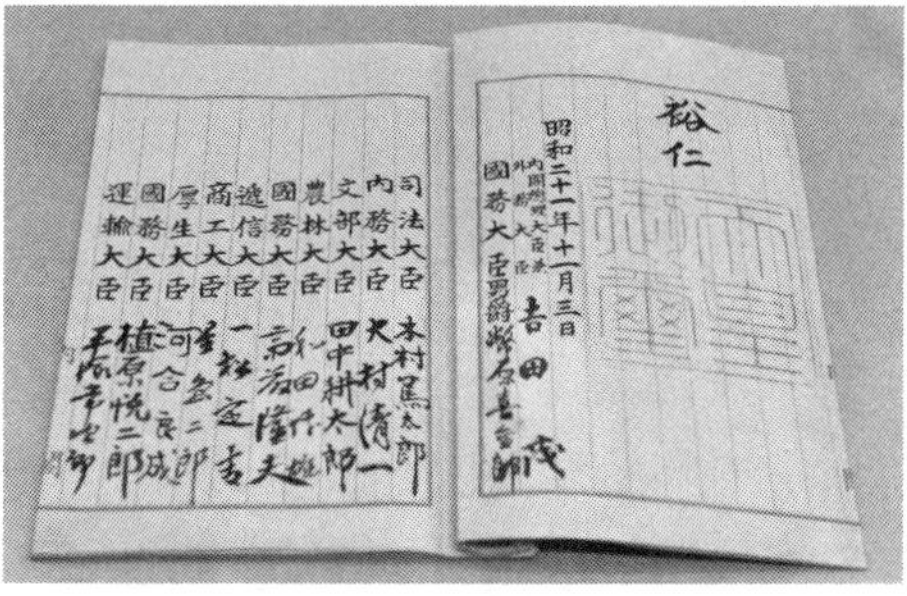

日本国憲法原本にある昭和天皇の署名、押印と吉田茂首相ら大臣の署名（国立公文書館蔵）＝共同通信社

いまからでも遅くない、改めて議論を深めよう

戦後の日本は、「戦争放棄、軍隊を持たない」という姿勢を世界へ示してきました。歴代内閣は「自衛隊は軍隊ではありませんから憲法違反ではありません」と言い続けてきました。ところが、ふと気づいたら自衛隊の規模や力がどんどん大きくなり、世界からは「軍隊」と認識されるまでに成長した。それなら、実態に合うように「憲法を変えればいいじゃないか」という議論が出てきました。本質的な議論を避けながら実態を変えて追認する。その繰り返しだった気がします。

現実の追認ではなく、国家のかたちを決める憲法のあり方を考える。日本の針路を考えるために、憲法の歩みを知り、改めて議論することはいまからでも決して遅くはないのです。

第2章　戦争の放棄
第9条　日本国民は、正義と秩序を基調とする国際平和を誠実に希求し、国権

の発動たる戦争と、武力による威嚇又は武力の行使は、国際紛争を解決する手段としては、永久にこれを放棄する。

2　前項の目的を達するため、陸海空軍その他の戦力は、これを保持しない。国の交戦権は、これを認めない。

Professor's Memo

「日本の象徴」とは何だろう？

平成とともに歩んでこられた天皇陛下が退位され、上皇となりました。天皇の生前退位は江戸時代にまで遡ります。歴史の節目を迎える重要な行事が執り行われました。

上皇は戦後の新憲法の下で天皇に即位されました。憲法条文にもあるように、「日本国および日本国民統合の象徴」とは何かということを真摯に考えてこられた方だと思います。

その姿勢を具体的に示す活動のひとつが、東日本大震災や水害のような自然災害に際して、多くの被災者と向かい合い、膝をついて語りかける姿だったのではないでしょうか。私には「天皇は常に国民とともにあるべきではないか」という思いが伝わってきます。ご高齢になり、被災地や太平洋戦争の戦地を十分に歩くことができなくなって、天皇としての責任を果たせなくなることに胸を痛められたのでしょう。

憲法改正が議論されるいま、若い君たちも、改めて天皇制についても考える機会になると思います。

第4部 CHAPTER 27

核のゴミ処分を考える

――隠蔽体質なら処分場選びは進まない

原子力発電所を運転すると出てくる使用済み核燃料。日本政府は、再使用できるウランやプルトニウムを分離し、残りを核のゴミとして最終処分することにしています。

日本列島のかなりの部分が処分場に「適した地域」

核のゴミの最終処分とは、地中深くに閉じ込めること。宇宙に打ち上げてしまえばいいのでしょうが、万一打ち上げに失敗したら、とてつもない惨事になります。海底の地下に埋めても、海中に溶け出したり、地中を汚染したりする可能性があります。現時点では、陸上から穴を掘って、地中深くに埋めることが一番と考えられています。

これまで政府は最終処分場を受け入れてくれる自治体を募集していましたが、首長が手を挙げた自治体では住民による反対運動が起き、決まらないままです。

そこでしびれを切らした経済産業省は、行政の立場から「適地」を調査して公表することにしたのです。それが２０１７年７月末、経産省が公表した高レベル放射性廃棄物（いわゆる核のゴミ）を最終処分できる可能性のある地域を示す「科学的特性マップ」です。日本経済新聞にも日本列島の地図の上に4段階のレベルで表示されたものが掲載されました（２０１７年7月29日付朝刊）。

核のゴミの科学的特性マップを公表し、取材に応じる世耕弘成経産相（2017年7月28日、経産省）＝共同通信社

核のゴミは数万年にわたって強い放射線を出し続けます。そこで地下３００メートルよりも深い岩盤に埋めて隔離する必要があります。その期間は、なんと数万年から10万年。気の遠くなるような話ですが、その間、地下の地盤が安定している場所でなければなりません。火山活動や大地震の可能性がある場所は除外されますし、軟弱な地層も向いていません。高い酸性の地下水がある場所も不向きです。核のゴ

ミを収納している容器を溶かしてしまう危険性があるからです。

それでも日本列島のかなりの部分が「適した地域」と認定されました。今後は、この中から受け入れてくれる場所を探そうということになりますが、果たして受け入れる自治体はあるのでしょうか。誰だって、自分の家の近くに核のゴミを埋めるのは嫌だからです。

処分場の建設が進むフィンランド

最終処分場をどこにするかは、日本のみならず、世界でも頭の痛い問題です。アメリカでは、ネバダ州の砂漠地帯に地中埋設する計画が進んでいましたが、オバマ政権になってから、安全性に疑問があるとして計画が撤回されています。

そんな状況の中でも、北欧のフィンランドとスウェーデンは、地中に埋める場所を決定しました。とりわけフィンランドは、地中に巨大なトンネルを建設。核のゴミの処分を始める予定です。２０１２年に取材しました。

フィンランド西端に近いエウラヨキという町に、処分場の建設が進んでいます。

人口約6000人の町には、原子力発電所があります。この原発に隣接する地域に、最終処分場はあります。名づけてオンカロ。フィンランド語で「隠し場所」の意味です。フィンランド国内で原子力発電所を持つ2社の電力会社が共同出資して、最終処分する会社を設立しました。

最終処分場の深さは最大で450メートル。このうち400メートル付近に、使用済み核燃料を埋設します。

使用済み核燃料は、原子炉から取り出した段階では、高温になっているため、いったんは地上で中間保存します。2年以上かけて熱を冷ますのです。その後、直径1メートル長さ4・8メートルの鉄製の筒に入れ、さらに銅製のパイプに収納します。これを、トンネルに掘った直径1・8メートル、深さ8メートルの穴に1本ずつ納めていきます。パイプと穴の間の隙間は、ベントナイトと呼ばれる粘土で埋めます。

「常に国民に情報公開しているから信用できる」

計画では2020年から埋める作業を始めますが、100年で一杯になると、トンネルを埋め戻して、以後10万年以上保管することになっています。鉄や銅も人間がつくったもの。いずれ腐食して、放射性廃棄物が染み出してくることが予想されますが、周囲のベントナイトは水を通さないので、地下水を汚染することはないというのです。

この計画を、地元の自治体はなぜ受け入れたのか。当時の町長に話を聞くと、次の答えでした。

「原子力で発電することで、私たちは豊かな生活を享受している以上、誰かが後始末を引き受けなければならない」と。

原発で生み出された電力は使うがゴミを引き受けるのは嫌だというのでは無責任なのですね。でも、危険だとは思いませんか？

「政府や電力会社から完全に独立した原

フィンランド・オルキルオトにはすでに最終処分場の実験施設がある（撮影は2015年4月）

子力安全センターが安全だと言うから、私たちは信用しています。常に国民に情報公開しているから信用できるのです」

すべてオープンだから信用できる。記録がすぐに廃棄されたり、存在しないと言ったりして国民にオープンにしない政府の国では、国民の信頼は得られないのです。

第4部 CHAPTER 28

どうなる日本の基礎研究

2017年春、日本経済新聞電子版（3月26日付）に衝撃的な記事が出ました。英科学誌「ネイチャー」が、「日本の科学研究はこの10年間で失速している」という特集を掲載したというのです。

期間限定のポストが増え、安心して研究できない

この特集記事では、日本の科学者が発表する論文が世界の主要な科学誌に占める比率が低下していることなどから失速を結論づけています。日本が強かった材料科学や工学分野でも２０１５年の発表論文数は２００５年に比べて「10％以上減少した」というのです。

私がまず驚いたのは、「ネイチャー」が、わざわざ日本の科学力の低下を特集したことです。

「そこに反応しますか！」と関係者に怒られそうですが、日本の科学力が世界に占める重要性が認識されているからこその特集なのですね。私が驚いたのは、世界に注目される日本の存在感です。

しかし、論文数が減少しつつあるというのですから看過できません。

特集によると、世界各国が研究開発投資を増やす中で、日本は２００１年以降、横ばいになっていること、国立大学への交付金を減らしたため、研究職や教授職に

任期つき（期間限定）のポストが増え、若い研究者が安心して研究できる環境でなくなっていることを指摘しています。

確かに以前なら助教（昔の助手）や准教授（昔の助教授）になる際、任期は5年などと区切られることはほとんどありませんでした。助教になれば、次は准教授、そして教授というキャリア形成の見通しがつきやすかったものです。長期的な研究テー

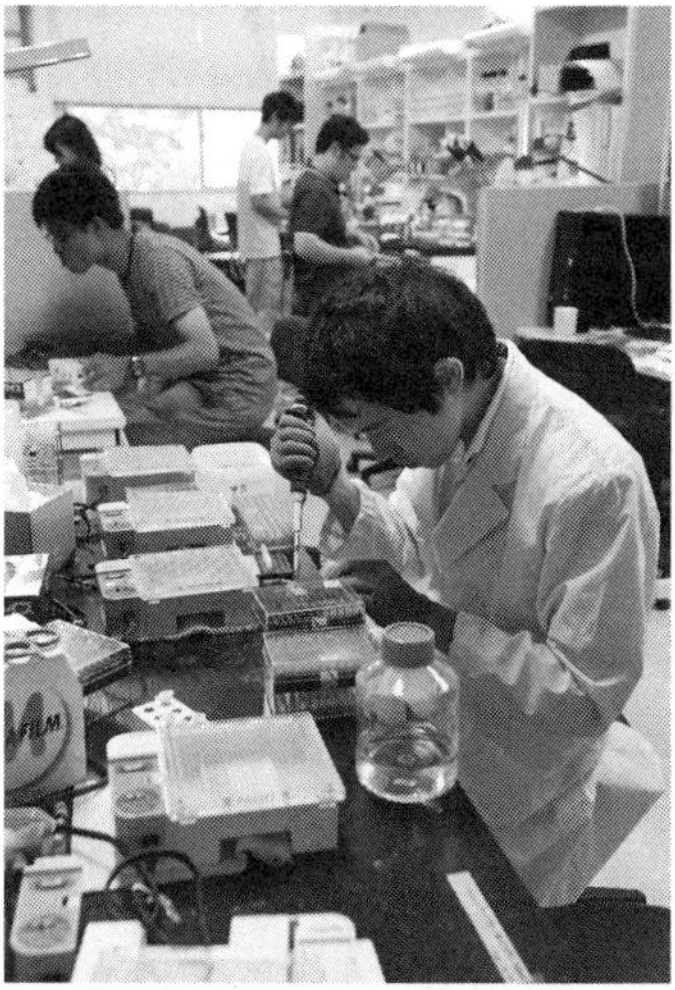

科学力を支える若手研究者の育成が課題に（東工大すずかけ台キャンパスにある大隅良典栄誉教授の研究室。2016年10月、横浜市）＝共同通信社

マも立てやすかったでしょう。いまはなかなかそうもいきません。落ち着いて研究に打ち込めないというわけです。

「ネイチャー」は、それでも2016年のノーベル生理学・医学賞を受賞した東京工業大学の大隅良典栄誉教授やロボットベンチャー企業であるサイバーダインを創業した筑波大学の山海（さんかい）嘉之教授らの研究を紹介し、日本の科学研究はまだ世界のトップレベルにあると解説しています。

しかし、衰えも見えており、このまま課題を放置すれば、世界での地位が脅かされると警告しています。

ノーベル賞の受賞は「20〜40年前の成果」

この記事を電子版で読んだ翌日の日経朝刊（2017年3月27日付）「私見卓見」欄に、総合研究大学院大学の岡田泰伸学長（当時）の寄稿がありました。

「2000年以降に17人の日本人がノーベル賞を受賞したことで、我が国の学術研究力の高さが誇れる状態にあると人々は誤解している。これらの成果はあくまで20

「すぐには役に立たない研究が、やがて花開く」（東工大の大隅良典栄誉教授＝左＝と妻の萬里子さん。2016年10月、横浜市緑区）

～40年前に得られたものだ」

「日本の人口当たり論文数の世界順位は2000年以前の15～16位から13年には37位に転落した。台湾や韓国だけでなく、クロアチア、セルビア、リトアニアといった東欧諸国にも抜かれた」

危機感あふれる文章です。

東工大の大隅栄誉教授は、「すぐ役に立つ研究ばかりしていてはいけない。すぐには役に立たない基礎研究が、やがて花開く」と指摘しています。

日本は外圧に弱い国。「ネイチャー」の指摘で、日本の基礎研究費が増えることはあるのでしょうか。

このところテレビでは、「日本がすごい」という番組が増えていますが、これは日本に対する日本人の自信のなさの裏返しのように見えます。「日本はまだまだ大丈夫だよ」と視聴者に自信を与えようとしているのではないでしょうか。

でも、それだけの職人技や文化レベルは、何年も前に築かれた遺産だということを忘れてはいけません。それは、「日本はすごい」ではなく、「日本はすごかった」という振り返りでしかないかもしれないのです。

教え子との読書会 3

課題 『日本の長い戦後』
橋本明子著、山岡由美訳、みすず書房、2017年

社会に出てからも勉強したいという東京工業大学の卒業生たちの要望で始まった読書会。2017年11月に再び開きました。参加者は卒業生に限らず、大学院にあたる課程で研究を続ける東工大生もいます。

以前の読書会で、「私たちは高校時代に日本の歴史など日本社会についてしっかり学んでいないんです」との直訴を受けました。

3種類の「敗戦のトラウマ」

そこで、今回私が選んだのは橋本明子著、山岡由美訳『日本の長い戦後』（みすず書房）です。戦後日本について、じっくり考えてもらおうという趣旨です。

日本人の著者なのに翻訳なのは、橋本氏がアメリカの大学で教えながら英語で著した論文を別の人が日本語に訳したからです。

日本には「敗戦のトラウマ」が存在すると著者は指摘します。そこには3種類の類型があります。

戦争に英雄を見いだそうとする「美しい国の記憶」と、戦争被害者としての「悲劇の国の記憶」、それに東アジア諸国に対する「加害者」の側面に注目する「やましい国の記憶」です。

筆者（左奥）と東工大の教え子らが、読書会で「日本の戦後」について語り合った（2017年11月11日、都内）＝東工大提供

実に複雑な日本の戦後の「記憶」。これを議論しました。読書会の後、参加者から送られてきた感想の一部を紹介しましょう。彼らの思索の跡がうかがえます。

A君　歴史が時代や国の要請に応じて再解釈されることがあることを、読書会を通じて再認識しました。本書は、先の大戦を3つの視点から学術的に整理しているという点で大変貴重で、今後、先の大戦について考え続けていく際の礎になると確信しています。戦争について同世代と議論するというのは、普段滅多にないことであり、今後も続けていくべきことです。

B君　日本における被害の歴史を紐解くと、加害者としての側面も否が応でも現れる。加害者は当時の政府であり、また当時の社会を構成していた私にとっての祖父祖母世代である。その総括は政治的になりやすく、本書の指摘のように戦後世代には「計算ずくの無関心」があったことは事実だ。無関心であると、時折ニュースにもなる諸外国（特に東アジア）から日本に向けられる「歴史認識」や「戦後補償」に関する視線を、素通りしてしまうようになる。

「歴史を知ることができてよかった」

C君　事実に向き合わなければ、認識が生まれない。認識がなければ、耳にすら入らない。知らなければ知らないで、僕は幸せだったかもしれない。でも僕は、今後半世紀を世界で生きていく一人の日本人として、戦争を体験した世代の孫として、かの歴史を知ることができてよかったと感じた。

Dさん　いかに自分が自国を知らないのか痛感させられる内容でした。この本で、日本国内で語られる文化的トラウマが「被害者・加害者・英雄」の3つに分析されたことによって、ようや

読書会に参加した筆者（後列右から3人目）と東工大の教え子ら（2017年11月11日、都内）＝東工大提供

く点と点がつながりました。

Eさん　戦争に対する印象や記憶が、こんなにも個々人によって異なることに驚きました。時代だけでなく、触れてきたメディア、出会った教師、親や地域など様々なパラメーターに影響を受けていることがわかったのは、読書会ならではの収穫だと思います。また、〝言葉〟の持つ力にもっと敏感になるべきだとも感じました。その言葉が選ばれた背景を理解した上で、客観的に思考できるようになりたいです。

F君　日本はなぜ負ける戦争を行ったのか、原爆投下以外に戦争を終える方法はなかったのか、過去に答えを見いだすことは非常に困難と感じます。著者は「敗戦を克服する手立てとして、今の民主主義社会では、第2次世界大戦以前の敗戦国にならなかったような、幅広い選択肢がある」と述べています。かつて戦った国家間で、歴史の過ちと向き合い、新たな思想・技術を共有し協働し、解決の体験をつくり出すことは文化的トラウマの克服につながると思います。

本書は２０１８年４月に刊行した同名書を文庫化したものです。

nbb
日経ビジネス人文庫

池上彰（いけがみあきら）の
未来（みらい）を拓（ひら）く君（きみ）たちへ

2020年1月6日 第1刷発行

著者
池上 彰
いけがみ・あきら

発行者
金子 豊

発行所
日本経済新聞出版社
東京都千代田区大手町 1-3-7 〒100-8066
https://www.nikkeibook.com/

ブックデザイン
新井大輔

本文 DTP
マーリンクレイン

印刷・製本
中央精版印刷

定価はカバーに表示してあります。落丁本・乱丁本はお取り替えいたします。

Printed in Japan ISBN978-4-532-19966-1

nbb 好評既刊

ずるいえいご

青木ゆか・ほしのゆみ

もう暗記は要りません！　中学英語レベルでだれでも〝ぺらぺら〟になる4つのメソッドを、コミックエッセイで楽しく解説。

なんでも英語で言えちゃう本

青木ゆか

違いは「発想」だけだった！　中学・高校レベルの単語でスムーズに会話できるメソッドを、ベストセラー『ずるいえいご』の著者が徹底解説。

R25 つきぬけた男たち

R25編集部＝編

「自分を信じろ、必ず何かを成し遂げるときがやってくる」――。不安に揺れる若者たちへ、有名人が自らの経験を語る大人気連載。

魔法のラーメン発明物語

安藤百福

「チキンラーメン」「カップヌードル」を生み出した、日清食品創業者の不撓不屈の人生。チキンラーメン50周年に合わせて文庫化。

西郷どんの真実

安藤優一郎

将たる器を備えたヒーローか、それとも毀誉褒貶の激しい激情家なのか？　謎に満ちた西郷隆盛の知られざる人物像に迫る。

nbb 好評既刊

30の神社からよむ日本史

安藤優一郎

神代から近代まで多くの逸話が眠る神社。鳥居の向こう側に隠された歴史の真実とは——。参拝、御朱印集めがもっと楽しくなる一冊！

30の名城からよむ日本史

安藤優一郎

なぜ、そこに城が築かれたのか——。北は五稜郭、南は首里城まで、30の名城の秘された歴史を探る。読めばお城を訪れたくなる一冊！

問題解決力

飯久保廣嗣

即断即決の鬼上司ほど失敗ばかり——。要領のいい人、悪い人の「頭の中身」を解剖し、論理的な思考技術をわかりやすく解説する。

問題解決の思考技術

飯久保廣嗣

管理職に何より必要な、直面する問題を的確、迅速に解決する技術。ムダ・ムリ・ムラなく、ヌケ・モレを防ぐ創造的問題解決を伝授。

30の発明からよむ世界史

池内 了＝監修
造事務所＝編著

酒、文字、車輪、飛行機、半導体……私たちの身の回りのものにはすべて歴史がある。原始から現代までを30のモノでたどる面白世界史。

nbb 好評既刊

難題が飛び込む男 土光敏夫
伊丹敬之

石川島播磨、東芝の再建に挑み、日本の行政の立て直しまで任された土光敏夫。臨調会長として国民的英雄にまでなった稀代の経済人の軌跡。

伊藤塾式 人生を変える勉強法
伊藤 真＋伊藤塾＝編著

勉強を楽しみ、自身を成長させる「伊藤塾式勉強法」とは？　司法試験などで多数の合格者を輩出するカリスマ塾長が、その極意を説く。

戦略参謀
稲田将人

なぜ事業不振から抜け出せないのか、PDCAを回すには――。数々の経営改革に携わってきた著者による超リアルな企業改革ノベル。

経営参謀
稲田将人

戦略は「魔法の道具」ではない！　数多くの企業再生に携わってきた元マッキンゼーの改革請負人が贈る「戦略参謀シリーズ」第2弾。

稲盛和夫の実学 経営と会計
稲盛和夫

バブル経済に踊らされ、不良資産の山を築いた経営者は何をしていたのか。ゼロから経営の原理を学んだ著者の話題のベストセラー。

nbb 好評既刊

模倣の経営学

井上達彦

成功するビジネスの多くは模倣からできている。他社（手本）の本質を見抜き〝儲かる仕組み〟を抽出する方法を企業事例から分析。

リッツ・カールトン超一流サービスの教科書

レオナルド・インギレアリー
ミカ・ソロモン
小川敏子＝訳

極上のおもてなしで知られるリッツ・カールトンのサービスの原則とは。リッツで人材教育を担う著者が、様々な業界で使えるメソッドを公開。

小さな会社のための世界一わかりやすい会計の本

ウエスタン安藤

勘定科目はカウボーイの投げ縄、減価償却はロールケーキで考える――。日本で唯一のカウボーイ税理士が、実践的な会計知識をやさしく説く。

一流の人はなぜそこまで、コンディションにこだわるのか？

上野啓樹
俣野成敏

「人生が劇的に変わった！」と多くの共感を得たベストセラーを文庫化。〝一度痩せたら、二度と太らない〟誰でもできるカンタン習慣を伝授。

ジャック・ウェルチの「リアルライフＭＢＡ」

ジャック・ウェルチ
スージー・ウェルチ
斎藤聖美＝訳

机上のＭＢＡは現実のビジネス問題を解決できない！　「経営の神様」ウェルチがビジネスで勝つために本当に必要な知識とノウハウを伝授。

nbb 好評既刊

ビジネススクールで身につける仮説思考と分析力
生方正也

難しい分析ツールも独創的な思考力も必要なし。事例と演習を交え、誰もが実践できる仮説立案と分析の考え方とプロセスを学ぶ。

つらい仕事が楽しくなる心のスイッチ
榎本博明

ポジティブ思考を作る、自身の強みを活かす、人の気持ちを引き出す……。円滑なビジネスに役立つ心理学のノウハウを人気心理学者が説く。

「上から目線」の構造〈完全版〉
榎本博明

目上の人を「できていない」と批判する若手社員、威張り散らす中高年――「上から」な人のメカニズムを解説した話題作！

キャピタル 驚異の資産運用会社
チャールズ・エリス
鹿毛雄二＝訳

全米屈指の運用会社、キャピタル・グループ。その独特の風土や経営術、人材活用法で驚異の運用成績をあげるまでのドラマを描いた話題作。

ガリガリ君の秘密
遠藤 功

現場を活性化させるなんでも「言える」仕組みづくりとは――。日本でいちばん売れているアイスを生んだ「強小カンパニー」の秘密に迫る。

nbb 好評既刊

投資賢者の心理学

大江英樹

なぜ投資家はみんな同じ失敗をするのか？　行動経済学の視点から投資家の「心」にスポットを当て、投資で勝てない理由を解き明かす。

ドーナツを穴だけ残して食べる方法

大阪大学ショセキカプロジェクト＝編

大阪大学の知の精鋭たちはドーナツを穴だけ残して食べられるのか？　学生たちが企画・編集し、大きな反響を呼んだ名著が、ついに文庫化。

株が上がっても下がってもしっかり稼ぐ投資のルール

太田 忠

過去の投資術だけでは長続きしない——。確実に儲ける新時代の手法を、豊富なアナリスト、ファンド・マネジャー経験を持つ著者が指南。

賢い投資家必読！株に強くなる本88

太田 忠

入門書から名著、古典、小説まで、賢い投資家になるために必読の投資本88冊を一挙紹介。『投資をするならこれを読め』を7年ぶりに改訂！

ビジネススクールで身につけるファイナンスと事業数値化力

大津広一

ファイナンス理論と事業数値化力はビジネスの基礎力。ポイントを押さえた解説と、インタラクティブな会話形式でやさしく学べる。

nbb 好評既刊

35歳からの勉強法
齋藤 孝

勉強は人生最大の娯楽だ！ 音楽・美術・文学など興味ある分野から楽しく教養を学び、仕事も人生も豊かにしよう。齋藤流・学問のススメ。

人はチームで磨かれる
齋藤 孝

皆が当事者意識を持ち、創造性を発揮し、助け合うチームはいかにしてできるのか。その実践法を、日本人特有の気質も踏まえながら解説。

すぐれたリーダーに学ぶ言葉の力
齋藤 孝

傑出したリーダーの言葉には力がある。世界観と哲学、情熱と胆力、覚悟と柔軟さ――。賢人たちの名言からリーダーシップの本質に迫る。

齋藤孝の仏教入門
齋藤 孝

怒りに飲み込まれない、他人と比較しない、慈悲の心をもつ――。多忙な人こそ「悟り」を目指そう。忙しい人のための実践的仏教入門。

ユニクロ対ZARA
齊藤孝浩

商品開発から売り場構成、価格戦略まで巨大アパレル2社の強さの秘密を徹底解剖。両ブランドの革新性に焦点を当て、業界の未来を考察。